2026 특수교사임용시험 대비   KORea Special Education Teacher

김남진 특수교육
KORSET 기출분석 ❸

I 영역별 마인드맵 수록
I 2009~2025년 기출문제 수록

김남진 편저

Part 08 특수교육공학

Part 09 지체장애아교육

Part 10 건강장애아교육

박문각 임용

이 책의 머리말

KORea **S**pecial **E**ducation **T**eacher

기출문제를 풀고, 분석하고, 이를 토대로 시험을 준비하는 일련의 과정은 시험을 준비하는 수험생들에게는 가장 기본이면서 필수적인 과정에 해당한다. 그만큼 기출문제 풀이 및 분석의 중요성은 아무리 강조해도 지나침이 없는 것이다. 이뿐만 아니라 이와 같은 중요성은 이전의 문제가 거듭 출제되고 있는바, 더욱더 현실적으로 체감할 수 있다.

이에 기출문제 분석집을 개정하는 입장에서는 상당한 심적 부담이 될 수밖에 없다. 편저자의 문제 풀이 접근 방식 그리고 제시되는 모범답안이 수험생들에게 절대적인 영향을 미친다는 것을 너무나 잘 알기에 더욱 그러하다. 그간 본인이 제시한 모범답안을 절대적인 기준으로 삼아 답안을 외우고 변형을 생각하는 수많은 수험생들을 보면서 답안에 사용될 단어 하나를 선택함에도 신중에 신중을 기해야 함을 수차례 경험하였다. 이와 같은 기출문제 및 분석의 중요성을 염두에 두고 개정판은 다음과 같은 점에 초점을 두었다.

첫째, 기출문제를 14개 영역별로 구분 후, 문제를 연도별(2009~2025년)로 제시하였다. 확인 과정을 거쳐 누락되었던 문제들을 추가함과 동시에 하나의 문항을 구성하고 있더라도 서로 다른 영역의 하위문제인 경우는 문제의 흐름을 깨지 않는 선에서 별개로 분리, 제시함으로써 내용 정리 및 기출 동향 파악을 보다 수월하게 할 수 있도록 하였다.

둘째, 내용을 보다 정확하고 명료하게 전달하는 데 초점을 두었다. 이는 기출문제 분석집이 갖추어야 할 기본에 해당하는 것으로, 정답 혹은 모범답안의 내용을 보다 깔끔하게 정리하여 제시함과 동시에 정답 또는 모범답안의 근거를 수험생들이 자주 접하는 각론서에 근거하여 구체적으로 제시하였다.

셋째, '내용 돋보기'를 강화하였다. 내용 돋보기는 수험생들의 자율적 학습 및 문제의 확장적 이해를 위한 것으로, 이를 통해 문제에 대한 분석과 제시된 내용에 대한 분석이 동시에 가능하도록 하였다.

넷째, 'Check Point'를 통해 중심 내용을 반복적으로 제시하였다. Check Point는 기출문제의 지문 그리고 해설과 관련하여 반드시 확인해야 될 내용을 보다 간결하게 정리한 것으로, 간헐적 제시를 통해 반복학습을 유도하고 학습에서의 효과성 증진을 추구하였다.

마지막으로, 수험생들의 가독성을 도모하였다. 수험생들의 문제풀이 과정상의 편의를 위해 문제는 한 페이지 내에서 볼 수 있도록 하였으며 답안을 작성할 수 있는 최소한의 공간을 남겨두고자 하였다.

수험서를 써 내려가다 보면 뭔가 이전과는 다른 형식에 남들과는 다른 내용으로 채워 넣어야 할 것만 같은 욕심이 마음 한켠에 지속적으로 남아 있던 것이 사실이다. 그러나 교재가 목적으로 삼고 있는 바를 고려하여 현재의 범위와 그리고 깊이 내에서 마무리 지었다. 끝으로 이 책이 특수교사 임용시험을 준비하고 있는 수험생들이 앞으로 한 걸음 더 나아갈 수 있도록, 그래서 모두가 바라는 자랑스러운 대한민국 특수교사의 꿈을 이루는 데 조금이나마 도움이 되었으면 하는 바람이다.

2025년 4월

김남진

Part 08	특수교육공학	6
Part 09	지체장애아교육	72
Part 10	건강장애아교육	136

김남진
KORSET 특수교육
기출분석 ❸

KORea Special Education Teacher

PART 08

특수교육공학

Part 08 특수교육공학 Mind Map

Chapter 1 특수교육공학의 이해

1 특수교육공학의 개념 ─┬─ 공학의 정의
　　　　　　　　　　　　├─ 특수교육공학의 정의
　　　　　　　　　　　　└─ 특수교육공학과 특수교육과의 관계

Chapter 2 교수·학습 이론

1 교수·학습 이론 개요 ─┬─ 행동주의
　　　　　　　　　　　　├─ 인지주의
　　　　　　　　　　　　└─ 구성주의 ─┬─ 인지적 도제이론
　　　　　　　　　　　　　　　　　　├─ 상황학습이론
　　　　　　　　　　　　　　　　　　└─ 인지적 유연성 이론

2 앵커드 교수법 ─┬─ 앵커드 교수법의 개념
　　　　　　　　　└─ 앵커드 교수법의 장점 및 문제점 ─┬─ 장점
　　　　　　　　　　　　　　　　　　　　　　　　　　└─ 문제점

Chapter 3 웹 접근성과 웹 접근성 지침

1 웹 접근성에 대한 이해 ─┬─ 웹 접근성의 개념
　　　　　　　　　　　　　└─ 웹 접근성 준수의 필요성

2 한국형 웹 콘텐츠 접근성 지침 2.2 ─┬─ 원칙 1. 인식의 용이성 ─┬─ 대체 텍스트
　　　　　　　　　　　　　　　　　　　　　　　　　　　　　　├─ 멀티미디어 대체 수단
　　　　　　　　　　　　　　　　　　　　　　　　　　　　　　├─ 적응성
　　　　　　　　　　　　　　　　　　　　　　　　　　　　　　└─ 명료성
　　　　　　　　　　　　　　　　　　├─ 원칙 2. 운용의 용이성 ─┬─ 입력장치 접근성
　　　　　　　　　　　　　　　　　　　　　　　　　　　　　　├─ 충분한 시간 제공
　　　　　　　　　　　　　　　　　　　　　　　　　　　　　　├─ 광과민성 발작 예방
　　　　　　　　　　　　　　　　　　　　　　　　　　　　　　├─ 쉬운 내비게이션
　　　　　　　　　　　　　　　　　　　　　　　　　　　　　　└─ 입력 방식
　　　　　　　　　　　　　　　　　　├─ 원칙 3. 이해의 용이성 ─┬─ 가독성
　　　　　　　　　　　　　　　　　　　　　　　　　　　　　　├─ 예측 가능성
　　　　　　　　　　　　　　　　　　　　　　　　　　　　　　└─ 입력 도움
　　　　　　　　　　　　　　　　　　└─ 원칙 4. 견고성 ─┬─ 문법 준수
　　　　　　　　　　　　　　　　　　　　　　　　　　　└─ 웹 애플리케이션 접근성

Chapter 4 물리적 접근과 보편적 설계

1 시설 및 설비에 대한 접근권
- 장애인 편의시설 설치 관련 법규
- 장애인 편의시설의 종류

2 보편적 설계
- 보편적 설계의 개념
- 보편적 설계의 원리
  - 공평한 사용
  - 사용상의 융통성
  - 단순하고 직관적인 사용
  - 지각할 수 있는 정보
  - 오류에 대한 관용
  - 낮은 신체적 수고
  - 접근과 사용을 위한 크기와 공간
- 보편적 설계의 원리와 교육적 활용

Chapter 5 보편적 학습설계의 이해

1 보편적 학습설계의 개념
- 보편적 학습설계의 정의
- 보편적 학습설계의 기본 가정
- 보편적 학습설계의 이론적 배경
  - 뇌의 사고시스템
  - 다중지능이론: 언어, 논리 수학, 공간, 신체 운동, 음악, 대인 관계, 자기이해, 자연 탐구 지능
  - 테크놀로지의 발달
- 보편적 학습설계와 보편적 설계의 비교
- 보편적 학습설계와 교수적 수정의 비교

2 보편적 학습설계의 원리와 가이드라인
- 보편적 학습설계의 원리
  - 다양한 방식의 표상 수단 제공
  - 다양한 방식의 행동과 표현 수단 제공
  - 다양한 방식의 참여 수단 제공
- 보편적 학습설계 가이드라인 2.2

3 보편적 학습설계의 실행
- 교실 상황에서의 보편적 학습설계 실행 과정
  1. 목표 설정
  2. 상황 분석
  3. UDL 적용
  4. UDL 수업 지도
- 조직차원의 보편적 학습설계 실행 과정

Chapter 6 교육용 소프트웨어의 선정과 평가

1 교육용 프로그램의 선정과 평가
- 교육용 프로그램의 선정
- 교육용 프로그램의 평가
  - 외부평가
  - 내부평가 — 고려사항: 수업과 관련된 일반적인 사항, 교육의 적절성, 공학기기의 적합성

2 소프트웨어의 개발
- 교수·학습용 소프트웨어 개발 시 일반적 고려사항
- 교수·학습용 소프트웨어 개발 시 장애학생을 위한 고려사항

Chapter 7 특수교육과 컴퓨터의 활용

1 컴퓨터 보조 수업의 이해
- 컴퓨터 보조 수업의 개념
- 컴퓨터 보조 수업의 특징
  - 개별화
  - 상호작용 촉진
  - 동기유발
  - 경제성
- 컴퓨터 보조 수업을 위한 프로그램 선정 시 고려사항
- 컴퓨터 보조 수업 활용상의 유의점
- 컴퓨터 보조 수업의 장단점
  - 장점
  - 단점

2 컴퓨터 보조 수업의 유형
- 반복연습형: 도입 → 문항 선정 → 문항 제시와 반응 → 반응 판단 → 피드백 → 결과 제시
- 개인교수형: 도입 → 정보 제시 → 질문과 응답 → 피드백과 교정 → 학습종료 결정 → 학습결과 제시
- 시뮬레이션형: 도입 → 가상적 상황 제시 → 학습자 반응 → 반응 판단과 피드백 → 모의실험 종료 결정 → 결과 제시
- 게임형
- 발견학습형
- 문제해결형

3 멀티미디어 활용 수업
- 멀티미디어 활용 수업의 개념
- 멀티미디어 활용 수업의 장단점
  - 장점
  - 단점

4 ICT 활용 수업
- ICT 활용 수업의 개념
- ICT 활용 수업의 구성요소
- ICT 활용 수업의 교육적 특징
- ICT 활용 수업의 유형
- ICT 활용 수업의 장점과 방해 요인
  - 장점
  - 방해 요인

Chapter 8 보조공학의 이해

- **1** 보조공학의 개념
  - 보조공학의 정의
  - 보조공학의 연속성
    - 하이테크놀로지
    - 미드테크놀로지
    - 로우테크놀로지
    - 노테크놀로지
  - 보조공학의 유용성
    - ABC 모델: 능력의 신장, 매체로의 대체, 장애의 보상
    - Wile 모델
    - BBEE 모델

- **2** 보조공학 사정 및 전달체계
  - 보조공학 사정 — 보조공학 사정의 일반적 특성
    - 생태학적 사정
    - 실천적 사정
    - 계속적 사정
  - 보조공학 전달체계

- **3** 보조공학 사정모델
  - 인간 활동 보조공학 모델(HAAT 모델): 인간, 활동, 보조공학, 맥락
  - 인간-공학 대응 모델(MPT 모델)
  - SETT 구조 모델: 학생, 환경, 과제, 도구
  - 보조공학 숙고 과정 모델
    - 1. 검토 단계
    - 2. 개발 단계
    - 3. 조사 단계
    - 4. 평가 단계
    - 5. 확인 단계
  - 재활 모델과 욕구 중심 모델
    - 재활 모델
    - 욕구 중심 모델

Chapter 9 컴퓨터 접근성 향상을 위한 보조공학

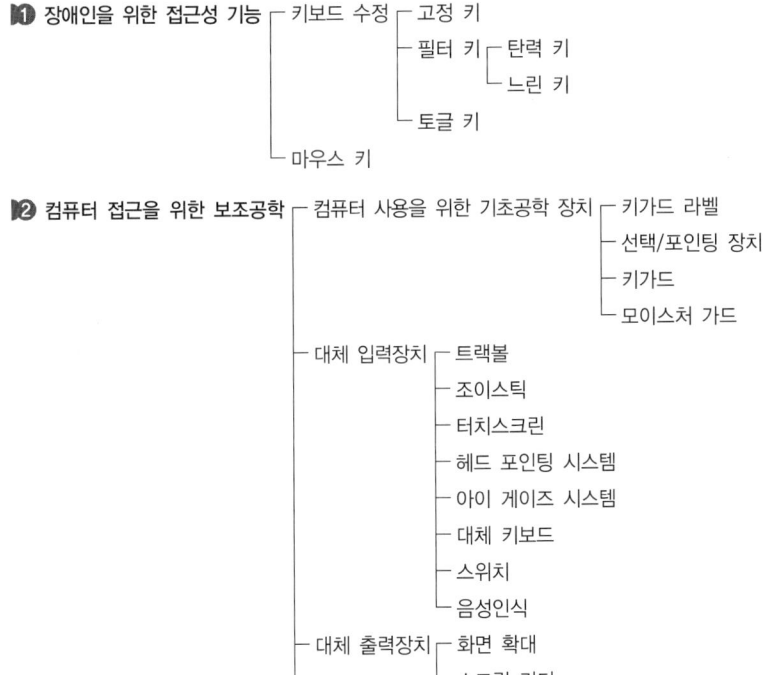

Chapter 10 보완대체의사소통의 이해

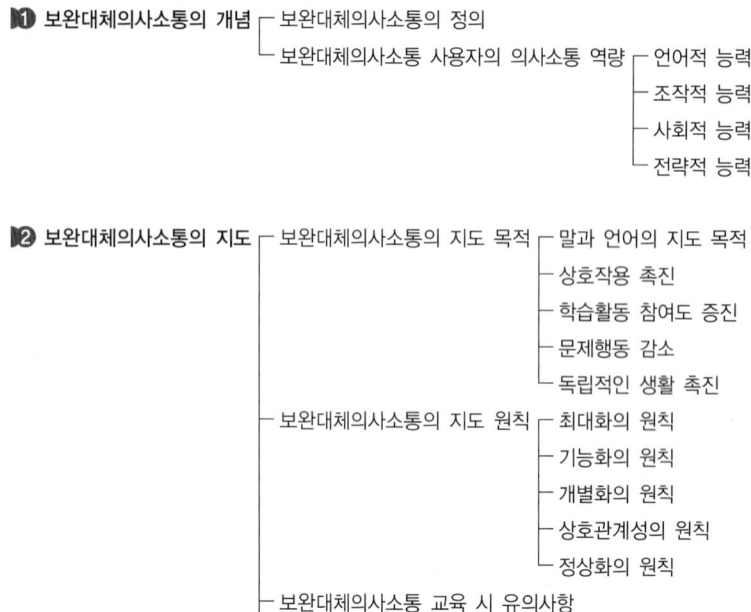

Chapter 11 보완대체의사소통 체계

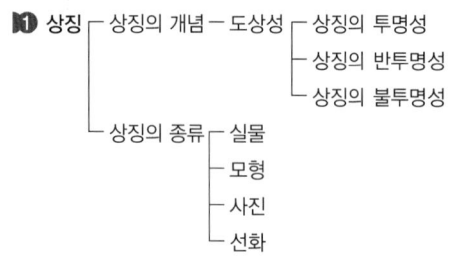

3 기법

- 직접선택
  - 개념
  - 신체 조절 능력 평가 : 손/팔 → 머리/목 → 발/다리
  - 활성화 전략
    - 시간 활성화 전략
    - 해제 활성화 전략
    - 평균 활성화 전략
  - 장단점
- 간접선택
  - 개념
    - 청각적 스캐닝
    - 시각적 스캐닝
  - 스위치 평가 : 손가락 → 손 → 머리 → 발 → 다리 → 무릎
  - 스위치 사용을 위한 운동훈련 단계
    1. 인과관계를 개발시키기 위해 사용하는 시간 독립적 스위치
    2. 스위치를 적절한 시간에 사용하도록 능력을 개발하는 데 쓰이는 종속적 스위치
    3. 다중선택 스캐닝 능력을 개발시키기 위한 특정한 윈도우 내의 스위치
    4. 상징적인 선택 만들기
  - 디스플레이 형태(포맷) : 원형, 선형, 행렬 스캐닝
  - 선택 조절기법
    - 자동 스캐닝
    - 단계별 스캐닝
    - 반전 스캐닝
  - 장단점

4 전략

- 전략의 개념
- 교수자와 사용자 측면의 보완대체의사소통 전략
  - 교수자 측면의 전략
  - 사용자 측면의 전략
  - 기타

5 보완대체의사소통 체계 선택 및 사용 시 고려사항

- 생활연령
- 기능성
- 상호작용 가능성
- 1개 이상의 AAC 보조도구 사용
- 학생 자신의 선호도
- 중재 가능성
- 사회적 의미
- 의사소통을 위한 선수 기술
- 자연스러운 환경에서의 중재
- 부모-중재자 간 협력관계
- AAC 체계의 특성
- 의사소통을 위한 기초 기술

Chapter 12 보완대체의사소통의 평가

1 보완대체의사소통 평가의 이해
- 보완대체의사소통 평가의 기본 원칙
- 보완대체의사소통의 평가 절차

2 평가 모델: 참여모델
- 참여모델에 대한 이해
- 참여모델의 체계
  - 의사소통 참여 유형과 요구 평가
  - 기회 제한 요인 평가
    - 기회장벽: 정책, 실제, 기술, 지식, 태도
    - 접근장벽
  - 학생의 구체적인 능력 평가

3 보완대체의사소통 지도를 위한 평가
- 운동 능력
- 감각 능력
- 인지 능력
- 언어 능력

4 보완대체의사소통 지도의 실제
1. 기초선을 측정하고 의사 표현 기능의 목표 서술하기
2. 어휘 선정하기
   - 어휘의 종류: 핵심어휘, 부수어휘
   - 어휘 수집 방법
   - 어휘 선정 시 고려사항: 발달적 관점, 사회적 관점, 의사소통 맥락
   - 상징 및 도구 선택
   - 상징의 배열 및 구성
     - 문법적 범주의 구성
     - 의미론적 범주의 구성
     - 환경/활동 중심의 구성
3. 사용자의 기술 습득을 지원할 수 있는 촉진 전략 교수하기
   - 환경의 구조화
   - 메시지 확인하기
   - 시작과 끝을 알리는 명확한 신호 확립하기
   - 시간 지연하기
   - 지적하기 촉진
   - 모델링
   - 환경 중심 언어중재
4. 사용자에게 목표 기술 교수하기
5. 일반화가 되고 있는지 상황 체크하기
6. 성과 측정하기
   - 조작적 지표
   - 표상적 지표
   - 상호작용 지표
   - 심리사회적 지표
7. 유지할 수 있도록 체크하기

기출문제 다잡기

01
2009 중등1-35

김 교사는 구어적 의사소통이 어려운 중도·중복장애 학생 A를 위해 음성 출력이 가능한 대체의사소통기기를 적용하기로 하였다. 김 교사가 그 기기에 미리 녹음할 구어적 표현을 알아보기 위하여 다음과 같이 사용한 접근법으로 가장 적절한 것은?

> 은행에서 입·출금하는 것을 가르치기 위하여, 김 교사는 A가 이용하고 싶어 하는 집 근처의 은행을 방문하였다. 김 교사는 은행의 창구에서 이루어지는 입·출금 과정에서 은행 직원과 고객들이 주고받는 표현어휘와 수용어휘들을 모두 기록하였다. 기록한 어휘 중에서 A의 학습목표와 생활연령을 고려하여 표현어휘들을 선정하고 A의 대체의사소통기기에 녹음하였다.

① 스크립트 일과법(scripted routines)
② 어휘 점검표법(vocabulary checklist)
③ 언어경험 접근법(language experience)
④ 생태학적 목록법(ecological inventory)
⑤ 일반사례교수법(general case instruction)

02
2009 중등1-37

보완·대체의사소통기기의 전자 디스플레이에서 원하는 항목을 선택하는 '훑기(scanning)' 방법에 대한 적절한 설명을 〈보기〉에서 고른 것은?

〈보기〉
ㄱ. 손이나 도구를 이용하여 항목을 직접 선택하기 어렵거나 선택이 부정확할 때 또는 너무 느릴 때 훑기 방법을 고려한다.
ㄴ. 원형 훑기(circular scanning)는 원의 형태로 제작된 항목들을 기기 자체가 좌우로 하나씩 훑어주며 제시하는 방식이다.
ㄷ. 항목이 순차적으로 자동 제시되고 사용자는 원하는 항목에 커서(cursor)가 머물러 있을 때 스위치를 활성화하여 선택한다.
ㄹ. 선형 훑기(linear scanning)를 하는 화면에는 항목들이 몇 개의 줄로 배열되어 있으며, 한 화면에 많은 항목을 담을 경우에는 비효율적일 수 있다.
ㅁ. 항목을 제시하는 속도와 타이밍은 기기 제작 시 설정되어 있어 조절이 어려우므로 사용자는 운동 반응 및 시각적 추적 능력을 충분히 갖추어야 한다.

① ㄱ, ㄴ, ㄷ   ② ㄱ, ㄷ, ㄹ
③ ㄱ, ㄹ, ㅁ   ④ ㄴ, ㄷ, ㅁ
⑤ ㄷ, ㄹ, ㅁ

03
2009 중등2B-4

보편적 설계(Universal Design)의 개념은 건축 분야에서 모든 사람이 편리하게 시설을 이용할 수 있도록 하기 위해 처음으로 제기된 것이지만 교육 분야에서도 보편적 설계의 개념과 원칙을 교육 상황에 적용하여 구체적인 학습전략으로 개발하여 왔다. 이에 더하여 최근 특수교육 분야에서는 보편적 설계의 개념과 원칙을 장애학생의 교수·학습 환경에 적용하여 보편적 학습 설계(Universal Design for Learning)로 발전시키고 있다. 다음 물음에 답하시오.

8-1. 보편적 설계의 주요 원칙 중 '동등한 사용', '사용상의 융통성', '정보 이용의 용이(인식 가능한 정보)'에 대해 각각의 원칙을 통합교육의 이념에 비추어 논하시오.

8-2. 장애학생을 대상으로 한 보편적 학습설계의 3가지 원리와 그 실행 방안을 다음의 조건에 따라 논하시오.

> 조건 1. 시각장애, 청각장애, 지체장애 중 2가지 장애유형을 선택할 것
> 조건 2. 해당 장애유형에 관련된 보조공학기기를 제시할 것

04
2010 유아1-2

정 교사는 학급 내 학습장애 아동의 수업 효과를 높이기 위해 개별 아동의 특성에 맞는 컴퓨터 보조 수업(computer-assisted instruction : CAI) 프로그램을 선정하여 적용하고자 한다. 프로그램 선정 시 고려해야 할 중요한 조건들을 〈보기〉에서 모두 고른 것은?

─〈보기〉─
ㄱ. 프로그램은 단계적으로 구성되어 있고, 각 단계별 내용 간에는 연계성이 있어야 한다.
ㄴ. 교사가 프로그램의 내용을 쉽게 변화시킬 수 있는 다양한 옵션(option)이 있어야 한다.
ㄷ. 아동의 능력 수준에 따라 프로그램의 진행 속도나 내용 수준을 조절할 수 있어야 한다.
ㄹ. 아동의 집중력을 높이기 위해 화려하고 복잡한 그래픽이나 애니메이션으로 구성되어 있어야 한다.
ㅁ. 아동이 프로그램 내의 지시를 잘 따를 수 있도록 화살표 등 신호체계가 눈에 띄게 표시되어 있어야 한다.
ㅂ. 아동의 특성이 고려되어 개발된 프로그램이기 때문에 제시된 과제에 동일한 반응시간이 주어져 있어야 한다.

① ㄱ, ㄷ, ㅁ ② ㄴ, ㄹ, ㅁ
③ ㄹ, ㅁ, ㅂ ④ ㄱ, ㄴ, ㄷ, ㅁ
⑤ ㄴ, ㄷ, ㄹ, ㅂ

05
2010 유아1-18

통합 유치원의 김 교사는 휠체어를 사용하는 지체장애 유아 준호와 시각장애 유아 영주를 지도하고 있다. 김 교사는 건강생활 '안전하게 생활하기'의 내용을 지도할 때, '보편적 학습 설계(universal design for learning)' 원리를 적용하여 교육적 지원을 하고자 한다. 〈보기〉에서 김 교사가 바르게 적용한 것을 모두 고른 것은?

〈보기〉
ㄱ. 실수에 즉각적으로 반응하는 보조공학 기구를 선택하여 제공한다.
ㄴ. 교실에서 교사 자리 가까이에 준호와 영주를 위한 장애유아 지정석을 정하여 제공한다.
ㄷ. '교통안전 규칙 지키기'를 지도할 때, 그림, 언어, 촉각 표시 등의 다양한 모드가 함께 사용된 도로교통 표지판을 제작하여 활용한다.
ㄹ. '미디어 바르게 활용하기'를 지도할 때, 지적 능력이나 사용하는 언어에 구애받지 않도록 쉬운 로고나 표지판 등이 포함된 학습 자료를 제작하여 활용한다.

① ㄱ, ㄴ
② ㄴ, ㄷ
③ ㄷ, ㄹ
④ ㄱ, ㄴ, ㄹ
⑤ ㄱ, ㄷ, ㄹ

06
2010 초등1-20

뇌성마비 학생 세희는 말 표현과 비언어적 의사소통에 어려움을 보이고 있다. 특수학교 최 교사는 2008년 개정 특수학교 기본교육과정 국어과에 기초하여, 보완대체 의사소통(augmentative and alternative communication : AAC) 체계를 적용하고자 한다. 준비 단계에서 고려해야 할 사항으로 가장 적절한 것은?

① AAC 체계 유형의 선택과 어휘 선정은 학생의 선호도를 고려하여 계획한다.
② 기능적 어휘보다는 장기적으로 성취 가능한 목표 어휘를 선정하여 준비한다.
③ 신체 기능보다는 학생의 언어 발달 수준을 고려하여 AAC 체계 한 가지를 준비한다.
④ AAC 체계에 적용하는 상징은 학생의 정신연령을 최우선으로 고려하여 준비한다.
⑤ 타인과의 상호작용 가능성보다는 학생 개인의 의도 표현에 중점을 두어 계획한다.

07   2010 중등1-9

보편적 학습설계(universal design for learning)에 대한 설명으로 옳은 것을 〈보기〉에서 모두 고른 것은?

〈보기〉
ㄱ. 보편적 학습설계는 교육과정이 개발된 후에 적용되는 보조공학과는 다르게 교육과정이 개발되기 전에 이루어지는 것이다.
ㄴ. 보편적 학습설계는 교육내용이나 교육자료를 개발할 때 대안적인 방법을 포함시킴으로써 별도의 교수적 수정을 하지 않도록 하는 것이다.
ㄷ. 보편적 학습설계는 건축 분야의 보편적 설계에서 유래한 개념으로, 학습에서의 인지적 도전 요소를 제거하고 지원을 최대한으로 제공하는 것이다.
ㄹ. 보편적 학습설계는 일반교육과정의 수준을 낮추는 것이 아니라, 융통성 있는 다양한 방법을 제시함으로써 장애학생이 일반교육과정에 접근할 수 있도록 하는 것이다.

① ㄱ, ㄴ
② ㄷ, ㄹ
③ ㄱ, ㄴ, ㄹ
④ ㄱ, ㄷ, ㄹ
⑤ ㄱ, ㄴ, ㄷ, ㄹ

08   2010 중등1-10

특수교육대상자를 위한 교육용 소프트웨어를 개발할 때 다양한 교수·학습이론을 반영할 수 있다. 〈보기〉에서 구성주의 교수·학습이론에 기반을 둔 내용을 고른 것은?

〈보기〉
ㄱ. 학습 효과를 높이기 위해서 반복적으로 연습을 할 수 있는 훈련·연습형으로 개발한다.
ㄴ. 학생이 문제를 해결할 수 있도록 실제 문제해결 상황을 비디오 등을 활용하여 제공한다.
ㄷ. 네트워크 기능 등을 활용하여 교사와 학생들 간의 활발한 상호작용에 초점을 두고 개발한다.
ㄹ. 애니메이션 등을 활용하여 반응에 따른 즉각적인 자극을 제공함으로써 학생이 올바른 반응을 형성할 수 있도록 한다.
ㅁ. 학생의 근접발달영역 내에서 필요한 도움을 제공하고, 과제수행이 능숙해짐에 따라 도움을 철회하는 구조를 반영하여 개발한다.

① ㄱ, ㄴ, ㅁ
② ㄱ, ㄷ, ㄹ
③ ㄴ, ㄷ, ㄹ
④ ㄴ, ㄷ, ㅁ
⑤ ㄷ, ㄹ, ㅁ

09　2010 중등1-28

구어로 의사소통이 어려운 자폐성장애 학생을 위해 교사가 의사소통판을 활용하고자 상징체계를 선택할 때 고려해야 할 점으로 가장 적절한 것은?

① 선화, 리버스 상징과 같은 비도구적 상징체계를 활용한다.
② 리버스 상징은 사진보다 추상적이므로 배우기가 더 어렵다.
③ 선화는 사진보다 사실적이므로 의사소통 초기 단계에서 활용한다.
④ 블리스 상징은 선화보다 구체적이므로 인지능력이 높은 학생에게 적절하다.
⑤ 블리스 상징은 리버스 상징보다 도상성(iconicity)이 낮으므로 배우기가 더 쉽다.

10　2010 중등1-40

장애학생을 대상으로 웹기반 수업을 하기 위해 웹접근성 지침에 따른 사이트를 구축하고자 한다. 이때 고려해야 할 웹접근성 지침의 내용으로 옳은 것을 〈보기〉에서 모두 고른 것은?

〈보기〉
ㄱ. 웹에서 프레임의 사용은 많아야 한다.
ㄴ. 웹 상의 동영상에는 자막이 있어야 한다.
ㄷ. 웹의 운용이 키보드만으로도 가능해야 한다.
ㄹ. 웹에서 변화하는 문자의 사용은 적어야 한다.
ㅁ. 웹의 정보는 색깔만으로도 구분할 수 있어야 한다.

① ㄱ, ㅁ
② ㄴ, ㄷ
③ ㄱ, ㄴ, ㄹ
④ ㄴ, ㄷ, ㄹ
⑤ ㄴ, ㄷ, ㅁ

11 [2010 중등2A-2]

다음은 고등학교 1학년 통합학급에 배치된 시각장애 학생과 청각장애 학생을 위해 일반교사와 특수교사가 앵커드 교수·학습 모형을 적용하여 계획한 교수·학습 활동의 일부이다.

□ 교과: 과학
□ 소단원: 지구 온난화에 의한 환경 변화와 대책
□ 교수·학습 활동
• 지구 온난화에 의한 환경 변화와 관련된 비디오 앵커를 보고 문제 파악하기
• 소집단 내 구성원의 역할 정하기
• 개인별로 관련 자료(인터넷, 신문, 백과사전, TV 프로그램 등)를 조사하고 요약·정리하기
• 소집단 토론하기

다음 조건에 따라 앵커드 교수·학습 모형의 장·단점을 서술한 후, 시각장애 학생과 청각장애 학생이 위의 교수·학습 활동에 참여할 수 있도록 지원하는 보조공학 기기를 선정하고, 기기별 선정 이유를 교수·학습 활동과 관련지어 논하시오.

〈조건〉
1) 모형의 장·단점을 3가지씩 서술할 것
2) 장애 유형별로 기능이 다른 보조공학 기기(상품명 제외)를 3가지씩 선정할 것

12 [2011 초등1-2]

영서는 만 6세이고, 경직형 뇌성마비, 중도 정신지체, 말·언어 장애가 있다. 김 교사가 영서를 위해 수립한 보조공학기기 적용 계획으로 적절한 내용을 고른 것은?

〈보기〉
ㄱ. 학습 활동을 효과적으로 할 수 있도록 그림 이야기 소프트웨어를 음성출력 기능과 함께 사용하게 한다.
ㄴ. 의사표현을 할 수 있도록 리버스 상징보다 이해하기 쉬운 블리스 상징을 적용한 의사소통판을 사용하게 한다.
ㄷ. 고개를 뒤로 많이 젖히지 않고 물을 마실 수 있도록 빨대나 한쪽 면이 반원형으로 잘린 컵을 사용하게 한다.
ㄹ. 움직이는 장난감 자동차를 가지고 놀 수 있도록 장난감 자동차에 스위치를 연결하고 그 스위치를 휠체어 팔걸이에 설치한다.
ㅁ. 뇌성마비 경직형 아동은 독립보행을 할 수 없으므로 원활한 이동을 할 수 있도록 조기에 스스로 전동 휠체어를 사용하게 한다.

① ㄱ, ㄴ, ㄷ ② ㄱ, ㄷ, ㄹ
③ ㄴ, ㄷ, ㄹ ④ ㄴ, ㄹ, ㅁ
⑤ ㄷ, ㄹ, ㅁ

13

현행 「장애인 등에 대한 특수교육법」과 동법 시행령 및 시행 규칙에 제시된 특수교육공학 관련 내용에 대한 설명으로 옳은 것만을 〈보기〉에서 모두 고른 것은?

─〈보기〉─
ㄱ. 각급학교의 장은 특수교육대상자의 보조공학기기 지원을 결정하기 위하여 특별지원위원회를 설치·운영하여야 한다.
ㄴ. 일반학교의 장은 특수교육대상자를 배치받은 경우 학습보조기기의 지원을 포함한 통합교육계획을 수립·시행하여야 한다.
ㄷ. 각급학교의 장은 학교에서 제공하는 각종 정보를 특수교육대상자에게 제공하는 경우 특수교육대상자의 장애유형에 적합한 방식으로 제공하여야 한다.
ㄹ. 특수교육대상자에게 보조공학기기지원, 학습보조기기지원, 통학지원 및 정보접근지원이 필요한 경우 개별화교육계획에 그 내용과 방법이 포함되어야 한다.

① ㄱ, ㄹ ② ㄴ, ㄷ
③ ㄱ, ㄴ, ㄷ ④ ㄱ, ㄷ, ㄹ
⑤ ㄴ, ㄷ, ㄹ

14

다음은 김 교사가 중도(severe) 뇌성마비 중학생 A에게 음성산출도구를 적용하는 보완·대체 의사소통 중재 과정이다. 각 과정별 적용의 예로 적절한 것을 고른 것은?

과정	적용의 예
기회 장벽 평가	(가) 학생 A가 음성산출도구의 터치스크린을 이용해서 자신이 원하는 상징을 정확하게 지적할 수 있는지 평가하였다.
접근 장벽 평가	(나) 학생 A가 휠체어에 앉을 때 랩트레이(lap tray)나 머리 지지대 등이 필요한지 알아보기 위해 자세를 평가하였다.
핵심어휘 선정	(다) 부모 면담을 통해 학생 A에게 특별한 장소나 사람, 취미와 관련된 어휘를 조사하여 선정하였다.
상징 지도	(라) 음성산출도구의 상징을 지도할 때는 실제 사물-실물의 축소 모형-컬러 사진-흑백 사진-선화 상징 순으로 지도하였다.
일상생활에서 음성산출도구 사용 유도	(마) 미술시간에 학생 A의 손이 닿지 않는 곳에 풀과 가위를 두고 기다리는 등 환경 조성 전략을 사용하여, 음성산출도구로 의사소통할 수 있도록 유도하였다.

① (가), (나), (다) ② (가), (나), (라)
③ (가), (다), (마) ④ (나), (라), (마)
⑤ (다), (라), (마)

15

특수교육공학에 관한 설명으로 옳은 것만을 〈보기〉에서 모두 고른 것은?

〈보기〉
ㄱ. 장애학생에게 공학을 적용할 때에는 하이테크놀로지(high technology)보다 로우테크놀로지(low technology)를 먼저 고려하는 것이 바람직하다.
ㄴ. 교실에서 휠체어를 탄 장애학생이 지나갈 수 있도록 책상 사이의 간격을 넓혀 주는 것은 로우테크놀로지(low technology)의 적용이라고 할 수 있다.
ㄷ. 사람이 제공하는 서비스 영역을 의미하는 소프트테크놀로지(soft technology)가 없이는 하드테크놀로지(hard technology)를 성공적으로 적용할 수 없다.
ㄹ. 특수교육공학은 사용된 과학 기술 정도에 따라 노테크놀로지(no technology)부터 하이테크놀로지(high technology)에 이르기까지 다양하게 분류될 수 있다.

① ㄱ, ㄹ
② ㄴ, ㄷ
③ ㄱ, ㄴ, ㄹ
④ ㄱ, ㄷ, ㄹ
⑤ ㄱ, ㄴ, ㄷ, ㄹ

16

다음은 장애학생 컴퓨터 접근에 대한 설명이다. (가)와 (나)에 들어갈 내용으로 옳은 것은?

컴퓨터 경고음을 듣는 데 어려움이 있는 청각장애 학생을 위해서는 시각적인 경고를 활용할 수 있다. 글을 읽는 데 어려움이 있는 학습장애 학생의 컴퓨터 접근을 위해서는 (가) 을/를 활용할 수 있다. 키보드를 이용할 때 두 개 이상의 키를 동시에 누르는 데 어려움이 있는 지체장애 학생을 위해서는 윈도 프로그램의 '내게 필요한 옵션'에 있는 (나) 기능을 활용할 수 있다.

	(가)	(나)
①	음성 합성기	고정키(sticky key)
②	음성 합성기	탄력키(filter key)
③	화면 읽기 프로그램	토글키(toggle key)
④	화면 읽기 프로그램	탄력키(filter key)
⑤	단어 예측 프로그램	고정키(sticky key)

17
2011 중등1-40

다음에 설명하는 보편적 학습설계(universal design for learning)의 원리에 해당하는 것만을 〈보기〉에서 모두 고른 것은?

- 이 원리는 응용특수공학센터(Center for Applied Special Technology)에서 장애학생을 포함한 모든 학생이 교육과정에 접근할 수 있도록 하기 위하여 제안한 세 가지 원리 중의 하나이다.
- 이 원리는 뇌가 어떻게 학습하는지에 관한 뇌 사고 시스템 연구에서 밝혀 낸 '전략적 시스템'과 연관되어 있다.
- 이 원리에는 장애학생을 비롯한 모든 학생의 학업 성취도를 측정하고 평가하기 위해서 교육과정 내에 다양한 옵션(options)을 마련하는 것이 포함된다.

〈보기〉
ㄱ. 학생 개개인의 인지 능력을 고려하여 다양한 옵션의 기억 지원 방법을 제공한다.
ㄴ. 학생 개개인의 운동 능력을 고려하여 다양한 옵션의 신체적 반응 양식을 제공한다.
ㄷ. 학생의 동기를 최대화하기 위해 다양한 옵션의 도전과 지원 수준을 마련해 준다.
ㄹ. 학생 개개인의 표현 능력을 향상시키기 위해 다양한 옵션의 글쓰기 도구를 제공한다.
ㅁ. 학생 개개인의 이해를 돕기 위해 배경 지식을 활성화 시킬 수 있는 다양한 옵션을 제공한다.

① ㄱ, ㅁ
② ㄴ, ㄹ
③ ㄱ, ㄷ, ㅁ
④ ㄱ, ㄹ, ㅁ
⑤ ㄴ, ㄷ, ㄹ

18
2012 초등1-3

일반학급의 김 교사는 응용특수공학센터(Center for Applied Special Technology; CAST)에서 제안한 보편적 학습설계(Universal Design for Learning; 이하 UDL)의 원리에 근거하여 국어과 수업을 하였다. UDL의 원리 중, 다양한 표상(정보 제시) 수단 제공 원리를 적용한 사례를 모두 고른 것은?

ㄱ. 나누어 주는 자료 중 중요 부분을 미리 형광펜으로 표시해 놓았다.
ㄴ. 문학작품을 읽고 난 후 소감을 글, 그림 등으로 제출하도록 하였다.
ㄷ. 배경 지식을 활성화하기 위해 주제와 관련 있는 동영상을 보여 주었다.
ㄹ. 독후감 과제 수행 시 자신의 수준과 취향에 맞는 내용을 선택하도록 하였다.
ㅁ. 학급문고에 국어 수업 내용과 관련 있는 다양한 종류의 오디오북을 구비해 놓았다.

① ㄱ, ㄴ
② ㄴ, ㄷ
③ ㄱ, ㄷ, ㅁ
④ ㄴ, ㄹ, ㅁ
⑤ ㄱ, ㄴ, ㄷ, ㄹ

19

다음은 보완대체의사소통(AAC) 체계의 적용을 방해하는 '장벽(barrier)'에 대한 설명이다. (가)와 (나)에 들어갈 내용으로 알맞은 것은?

> AAC는 구어 사용이 곤란한 특수학교(급) 학생들에게 효과적인 의사소통 체계가 될 수 있음에도 불구하고, 그 적용을 방해하는 여러 가지 장벽이 존재한다. 참여모델(participation model)에 따르면, (가) 은 AAC 도구가 어떤 활동에 필요한 어휘를 저장할 만큼 충분한 용량을 갖고 있지 않을 때 발생할 수 있다. 그리고 지식 장벽은 (나) 이/가 AAC 사용법에 대한 정보가 부족할 때 발생할 수 있다.

	(가)	(나)
①	기술 장벽	AAC를 이용하는 학생
②	기술 장벽	AAC를 지도하는 교사
③	기회 장벽	AAC를 이용하는 학생
④	접근 장벽	AAC를 지도하는 교사
⑤	접근 장벽	AAC를 이용하는 학생

20

H 특수학교에서 장애학생들의 정보 접근을 지원하기 위해 홈페이지를 제작하였다. 웹 접근성 지침에 따른 것만을 〈보기〉에서 있는 대로 고른 것은?

〈보기〉
ㄱ. 반복적인 내비게이션 링크를 뛰어넘어 핵심 부분으로 직접 이동할 수 있도록, 건너뛰기 링크를 제공하였다.
ㄴ. 빠른 탐색을 돕기 위해서 동영상, 음성 등의 멀티미디어 콘텐츠에 자막이나 원고 대신 요약 정보를 제공하였다.
ㄷ. 주변 상황에 관계없이 링크의 목적지를 찾아갈 수 있도록 '여기를 클릭하세요'와 같은 링크 텍스트를 제공하였다.
ㄹ. 회원가입 창의 필수항목은 색상을 배제하고도 구분할 수 있도록, '*' 등의 특수문자와 색상을 동시에 제공하였다.
ㅁ. [Tab] 키를 이용하여 웹을 탐색하는 장애학생들을 위해 오른쪽에서 왼쪽, 위에서 아래로의 일반적인 순서에 따라 논리적으로 이동할 수 있도록 콘텐츠를 선형화하였다.

① ㄱ, ㄹ
② ㄱ, ㅁ
③ ㄱ, ㄹ, ㅁ
④ ㄴ, ㄷ, ㄹ
⑤ ㄴ, ㄷ, ㅁ

21
2012 중등1-40

다음은 보조공학 서비스 전달 과정이다. 이 전달 과정에 대한 설명으로 옳은 것만을 〈보기〉에서 있는 대로 고른 것은?

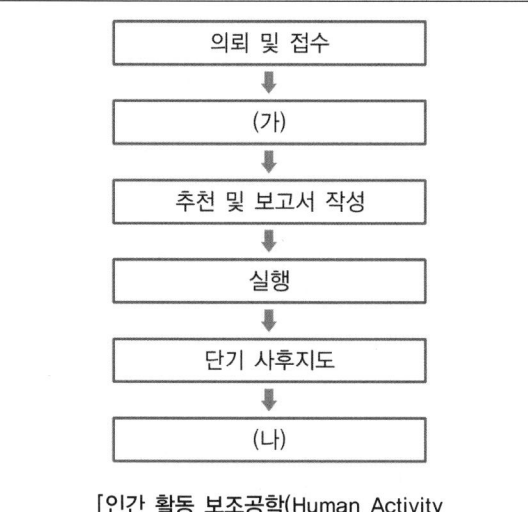

[인간 활동 보조공학(Human Activity Assistive Technology) 모델]

〈보기〉
ㄱ. 보조공학 활용의 중도 포기를 방지하기 위해서는 인간, 활동, 보조공학, 주변 상황을 체계적으로 고려하는 생태학적 사정이 이루어져야 한다.
ㄴ. 보조공학 활용의 목적은 사용자의 기능적 활동 수행을 가능하도록 하는 것으로, 손의 움직임 곤란으로 타이핑이 어려운 장애학생에게 소근육 운동을 시켜서 타이핑을 할 수 있도록 하는 것은 적절한 보조공학 활용 사례이다.
ㄷ. (가)는 초기 평가 단계로서, 사용자에게 알맞은 보조공학을 제공하기 위해 장치의 특성과 사용자의 요구 및 기술 간의 대응을 해야 한다.
ㄹ. (가) 단계에서는 사용자의 감각, 신체, 인지, 언어 능력을 평가하는데, 공학 장치를 손으로 제어하기 어려운 학생의 경우에 다리보다는 머리나 입을 이용하여 제어가 가능한지를 먼저 고려해야 한다.
ㅁ. (나) 단계에서는 보조공학이 장애학생에게 적용된 이후에도, 보조공학이 사용자의 요구나 목표의 변화에 부합하는지를 지속적으로 재평가하는 장기적인 사후지도가 이루어져야 한다.

① ㄱ, ㄴ, ㄹ
② ㄱ, ㄷ, ㅁ
③ ㄱ, ㄴ, ㄷ, ㅁ
④ ㄱ, ㄷ, ㄹ, ㅁ
⑤ ㄴ, ㄷ, ㄹ, ㅁ

22
2013 중등1-40

다음은 장애학생의 교수·학습용 소프트웨어 프로그램 선정을 위한 평가에 대해 설명한 것이다. ㉠~㉣에 대한 설명으로 적절한 것만을 〈보기〉에서 있는 대로 고른 것은?

학급에서 교수·학습용 소프트웨어 프로그램을 선정할 때에는 거시적 관점의 ㉠외부 평가와 미시적 관점의 ㉡내부 평가 과정을 거친다. 이러한 평가 과정은 ㉢팀 접근을 통해 이루어지는 것이 바람직하며, ㉣장애학생의 교육적 요구에 부응하고 학습 장면에서 실제적 효용성을 보일 수 있는 프로그램으로 선정해야 한다.

〈보기〉
가. ㉠을 위해 팀을 구성할 때는 장애 특성에 대한 지식이나 교과 지도 경험이 없는 전문가로 구성하여 프로그램 선정에 개인적인 관점을 배제하고 프로그램의 기술과 공학에 초점을 두는 평가를 한다.
나. ㉡은 학급 단위로 학급 구성원 개개인을 위해 실시하며 수업과 관련된 일반적인 사항 및 공학 기기의 적합성 등을 고려한다.
다. ㉢에서 초학문적 팀 접근을 실시할 때에는 다양한 영역의 전문가들의 협력을 기초로 서로의 정보와 기술, 그리고 역할을 공유하고 최종 결정은 팀의 합의를 거친다.
라. ㉣은 교수자 중심의 접근으로 설계되어 학습 방식 및 전개 방식이 교사의 수업과 조화를 이루는 것이 좋다.
마. ㉣은 장애학생에게 제공하는 피드백과 강화가 적절해야 하는데, 특히 강화는 교사가 장애학생에게 제공하는 방식과 유사한 것이 좋다.

① 가, 나, 라
② 가, 다, 마
③ 나, 다, 마
④ 가, 나, 라, 마
⑤ 나, 다, 라, 마

23 2013추시 중등B-1

(가)는 A특수학교(중학교)에 재학 중인 민수의 특성이고, (나)는 김 교사가 2011 특수교육 교육과정 중 기본 교육과정 국어과 교수·학습 방법과 평가에 근거하여 수립한 지도 계획의 일부이다. 물음에 답하시오.

(가) 민수의 특성

- 뇌성마비(경직형 사지마비)와 정신지체를 가지고 있음
- 구어 사용이 어려움
- 쓰기 활동을 할 때 신체 경직으로 손이나 팔다리를 사용할 수 없음

(나) 교수·학습 방법과 평가 계획

- ㉠ 해당 학년군별 교육과정을 적용하기 어렵기 때문에 민수의 언어 능력에 따라 타 학년군의 교육과정 내용을 참고하여 운용함
- ㉡ 문법 지도에서는 초기 읽기지도를 할 때 음운인식 훈련을 통하여 학습한 문자가 일반화될 수 있는지에 중점을 두어 지도함
- ㉢ 국어 교과의 평가는 민수의 언어 능력에 따라 언어의 형태와 내용, 사용을 통합적으로 평가함
- ㉣ 민수의 경우 음성으로 의사소통하기 어렵기 때문에 듣기능력으로 대체하여 평가함

3) 김 교사는 민수의 운동기능을 평가한 후, 컴퓨터를 이용하여 글쓰기를 지도하려고 한다. 민수에게 키가드(key guard)가 부착된 일반 키보드를 사용하도록 하기 위해 제공할 수 있는 입력보조도구를 1가지만 쓰시오.

- 입력보조도구:

24 2013추시 중등B-3

다음은 중학교 통합학급에서 참관실습을 하고 있는 A대학교 특수교육과 2학년 학생의 참관후기와 김 교사의 피드백 일부이다. 물음에 답하시오.

> 다음주부터 중간고사다. 은수가 통합학급의 친구들과 똑같이 시험을 볼 수 있을지 걱정이다. 초등학생이라면 간단한 작문 시험이나 받아쓰기 시험 시간에 특수교육보조원이 옆에서 대신 써줄 수 있을 것 같은데, 은수와 같은 장애학생들에게는 다른 시험 방법을 적용해 주면 좋을 것 같다.

> 또래와 동일한 지필 시험을 보기 어려운 장애학생들을 위해서 시험 보는 방법을 조정해 줄 수 있어요. 예를 들면, ㉡구두로 답하거나 컴퓨터를 사용하여 답하기, 대필자를 통해 답을 쓰게 할 수 있어요. 다만 ㉢받아쓰기 시험시간에 대필을 해 주는 것은 적절하지 않습니다.

2) ㉡의 시험 방법 조정의 예는 보편적 학습설계의 3가지 원리 중 어떤 것에 해당되는지 쓰시오.

25
2013추시 중등B-5

(가)는 A 특수학교(중학교) 1학년인 영미의 특성이고, (나)는 영미를 지도하기 위하여 수립한 보완·대체의사소통(AAC) 지도 계획안의 일부이다. 물음에 답하시오.

(가) 영미의 특성

- 중도·중복장애를 가지고 있음
- 구어를 사용하여 의사소통하기 어려우며, 글을 읽지 못함

(나) 의사소통 지도 계획안

단계	내용
의사소통 평가	• 영미의 의사소통 특성과 현재 수행 능력을 평가하여 AAC 체계를 선정함
목표 설정	• 의사소통 지도의 목표를 수립함
어휘 수집	• 학교 식당에서 필요한 어휘를 수집함
어휘 구성	• ㉠ 수집한 어휘들을 학교 식당에서 효율적으로 사용할 수 있도록 조직화하여 의사소통판을 구성함
의사소통 표현하기 기술 교수	• 영미에게 그림 상징을 지적하여 의사를 표현하도록 지도함 • ㉡ 처음에는 시범을 보이지 않고 영미의 관심에 주의를 기울이면서 요구하기, 그림상징을 선택하여 답하기의 순서로 의사표현하기 기술을 지도함. 긍정적 반응에는 강화를 제공하고 오반응이나 무반응에는 올바른 반응을 보여 주어 따라하도록 함 • ㉢ 의사소통 상황에서 영미에게 기대되는 반응이 나타날 때까지 수 초간 어떠한 촉진도 주지 않고, 목표기술을 자발적으로 사용할 수 있도록 기회를 제공함 • ㉣ 대화상대자 훈련을 계획하여 실시함

1) ㉠에서 의사소통판을 제작하기 위하여 사용할 수 있는 어휘 목록 구성 전략을 쓰고, 그 전략이 효과적인 이유를 1가지만 쓰시오.

• 구성 전략 :

• 이유 :

2) ㉡과 ㉢에서 의사소통을 촉진하기 위해 사용한 전략을 쓰시오.

㉡ :

㉢ :

3) ㉣을 실시하는 목적을 1가지만 쓰시오.

• 목적 :

26
2014 유아A-1

(가)는 장애 유아의 특성 및 단기목표이고, (나)는 유아특수교사와 유아교사가 응용특수공학센터(Center for Applied Special Technology ; CAST)에서 제안한 보편적 학습설계 원리를 적용하여 작성한 병설유치원 통합학급 5세반 활동 계획안의 일부이다. 물음에 답하시오.

(가) 장애 유아의 특성 및 단기목표

유아	장애 유형	특성	단기목표
혜지	중도·중복장애	• 뇌성마비로 인해 왼쪽 하지마비가 심하다. • ㉠AAC 체계를 사용하여 10개 이내의 어휘로 자신의 생각과 요구 등을 표현한다.	(생략)
현구	자폐성장애	• 주로 시각적 단서로 정보를 얻는다. • 선호하는 활동 및 친구에 대해서만 관심을 보이고 빙빙 도는 행동을 자주 한다.	활동에 참여하여 또래와 상호작용 하기

(나) 활동계획안

활동명	낙엽이 춤춰요	활동 형태	대집단 활동
활동 목표	• 낙엽의 다양한 움직임을 알고 신체로 표현한다. • ㉡신체표현 활동을 즐기고 적극적으로 참여한다.		
활동 자료	움직이는 낙엽의 모습이 담긴 동영상, PPT 자료, 움직임 카드 4장, 낙엽 그림카드 4장		

활동방법

• 낙엽의 움직임이 담긴 동영상을 감상한다.
 - 낙엽이 어떻게 움직이고 있나요?
 - 수업내용의 이해를 돕기 위해 낙엽 한 장의 움직임을 강조한 동영상 자료를 제시한다.
• 활동을 소개하고 움직임 그림카드를 살펴본다.
 - 어떤 그림이 있죠? 어떻게 움직이면 좋을까?
• 움직임 카드에 따라 약속된 움직임을 표현한다.
 - 약속한 움직임대로 낙엽이 움직이는 모습을 표현해 보자.
 - 유아는 카드를 보고, 몸짓 또는 손짓으로 낙엽의 움직임을 나타내거나 낙엽 그림카드를 가리키거나 든다.

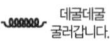

• 카드의 수를 늘려가며 움직임을 연결하여 표현한다. ㉢
 - 모둠별로 움직여 보자(파랑 모둠: 현구, 노랑 모둠: 혜지 포함).
 - 카드 2장을 보고 연결해서 낙엽처럼 움직여 보자.
 - 도는 것을 좋아하는 현구와 친구들이 함께 낙엽의 움직임을 나타낸다(㉣ 낙엽이 빙글빙글 돌다가 데굴데굴 굴러갑니다.).
• 활동에 대한 생각과 느낌을 말이나 AAC를 사용해서 표현한다.

1) (가)의 ㉠ AAC 체계의 구성 요소 중 기법(선택기법) 2가지를 쓰시오.

• 기법 1:

• 기법 2:

2) (가)에 제시된 현구의 특성 및 단기목표와 (나)의 활동 방법 ㉢을 고려하여 활동 목표 ㉡을 수정하여 쓰시오.

• 수정된 활동 목표:

3) (나)의 활동계획안 ㉣에 적용된 보편적 학습설계 원리 2가지를 쓰시오.

27
2014 유아A-7

(가)는 경직형 뇌성마비 유아 주희의 언어 관련 특성이고, (나)는 특수교사와 언어재활사가 협의한 내용이다. 물음에 답하시오.

(가) 주희의 언어 관련 특성

- 호흡이 빠르고 얕으며, 들숨 후에 길게 충분히 내쉬는 것이 어려움
- 입술, 혀, 턱의 움직임이 조절되지 않고 성대의 과도한 긴장으로 쥐어짜는 듯 말함
- 말소리에 비음이 비정상적으로 많이 섞여 있음
- 전반적으로 조음이 어려우며, 특히 /ㅅ/, /ㅈ/, /ㄹ/음의 산출에 어려움을 보임

(나) 협의록

- 날짜: 2013년 3월 13일
- 장소: 특수학급 교실
- 협의 주제: 주희의 언어 능력 향상을 위한 지도 방안
- 협의 내용:
  ① 호흡과 발성의 지속 시간을 점진적으로 늘릴 수 있도록 지도하기로 함
  ② 비눗방울 불기, 바람개비 불기 등의 놀이 활동을 통해 지도하기로 함
  ③ /ㅅ/, /ㅈ/, /ㄹ/ 발음의 정확성을 높이기 위하여 반복 연습할 기회를 제공하기로 함
  ④ 자연스럽고 편안한 발성을 위하여 바른 자세 지도를 함께 하기로 함
  ⑤ 추후에 주희의 의사소통 문제는 ⊙언어의 3가지 주요 요소(미국언어·청각협회: ASHA)로 나누어 종합적으로 재평가하여, 필요하다면 주희에게 적합한 ⓒ보완대체의사소통(AAC)체계 적용을 검토하기로 함

3) 주희에게 ⓒ을 적용하고자 할 때, '언어 영역'을 제외한 사용자 평가 영역 중 3가지만 쓰시오.

28
2014 초등B-4

(가)는 중증 뇌성마비 학생 진수의 특성이다. 물음에 답하시오.

(가) 진수의 특성

- 손과 팔의 운동조절 능력은 있으나 필기는 하지 못함
- 전동 휠체어를 사용하여 스스로 이동이 가능함
- 구어 표현은 어려우나 인지적 손상이 적어 상징을 통한 의사소통이 가능함
- 음성출력 의사소통기기로 의사소통함

3) 진수는 수업에 참여하기 위하여 AAC 기기의 '직접 선택하기' 방법 중 해제 활성화 전략을 사용하고 있다. 이 전략을 설명하시오.

29   2014 중등A-12

다음은 지체장애 특수학교의 교사가 학생 A와 B의 컴퓨터 접근성을 높이기 위해 사용하고 있는 방법을 교육 실습생에게 설명하고 있는 장면이다. 괄호 안의 ㉠과 ㉡에 해당하는 말을 각각 쓰시오.

> 실 습 생: 선생님, 학생 A가 컴퓨터를 사용할 때 선생님께서 어떤 도움을 주고 계신지 알고 싶어요.
>
> 특수교사: 학생 A는 컴퓨터로 문서 작업을 할 때 어려움이 있어요. 예를 들어, '학습'이라는 단어를 칠 때 'ㅎ'을 한 번 누르고 나서 손을 떼야 하는데 바로 떼기가 어려워요. 그래서 'ㅎ'이 계속 입력되어 화면에 나타나, 지우고 다시 치느라 시간이 오래 걸려요. 이럴 때는 윈도 프로그램(Windows program)의 '내게 필요한 옵션' 중에서 반복된 키 입력을 자동으로 무시하는 (㉠) 기능을 활용하게 하고 있어요.
>
> 실 습 생: 그럼, 학생 B는 일반적인 키보드를 사용하지 못할 것 같은데 선생님께서는 어떻게 도와주고 계세요?
>
> 특수교사: 학생 B에게는 훑기(scanning)를 통해 화상 키보드를 사용하도록 하였어요. 간접선택 기법인 훑기에는 여러 가지 선택 기법이 있는데, 그중에서 학생 B에게는 스위치를 누르지 않아도 일정 시간 간격으로 커서가 움직이도록 미리 설정해 주고, 커서가 원하는 키에 왔을 때 스위치를 눌러 그 키를 선택하게 하는 (㉡) 선택 기법을 사용하게 하고 있어요.
>
> 실 습 생: 네, 잘 알겠습니다.

30 | 2015 초등A-6

(가)는 지체장애 특수학교 2학년 학생들의 특성이고, (나)는 '2009 개정 슬기로운 생활과 교육과정'에 따른 '마을과 사람들' 단원 지도 계획과 학생 지원 계획의 일부이다. 물음에 답하시오.

(가) 학생 특성

미나	• 이분척추를 지닌 학생이며, 뇌수종으로 인하여 션트(shunt) 삽입 수술을 받음
현우	• 뇌성마비 학생이며, 상지 사용이 가능하여 휠체어를 타고 이동할 수 있음 • 휠체어를 타고 턱을 넘을 때, 몸통의 근긴장도가 높아지고 깜짝깜짝 놀라는 반응을 보임
은지	• 뇌성마비학생이며, 전동 휠체어를 타고 이동할 수 있음 • 구어 사용은 어렵지만, 간단한 일상적인 대화는 이해할 수 있음 • 그림 상징을 이해하고, 오른손 손가락으로 상징을 지적할 수 있음 • 왼손은 항상 주먹이 쥐어진 채 펴지 못하고 몸의 안쪽으로 휘어져 있음

(나) 단원 지도 계획과 학생 지원 계획

대주제	이웃			
단원	마을과 사람들			
차시	차시명	학습 목표 및 활동	학생 지원 계획	
8-9	우리 마을 둘러보기	○우리 마을의 모습을 조사한다. -마을 모습 이야기하기 -조사 계획 세우기 -마을 조사하기 　• 건물, 공공장소 및 시설물 등을 조사하기 　• 마을 사람들이 하는 일을 조사하기	○미나 -마을 조사 시 ㉠션트(shunt)에 문제가 발생하지 않도록 유의하기 ○현우 -마을 조사 시 ㉡앞바퀴가 큰 휠체어 제공하기 ○은지 -수업 중 ㉢스프린트(splint) 착용시키기 -보완·대체 의사소통(AAC) 지원 계획하기 　• (㉣)을/를 적용하여 평가하기 　• 마을 조사 시 궁금한 내용을 질문할 수 있도록 ㉤어휘목록 구성하기	

4) 다음은 (나)의 ㉣에 대한 설명이다. ㉣에 들어갈 모델의 명칭을 쓰시오.

- 보완·대체의사소통과 관련된 의사결정과 중재를 하기 위한 평가 모델임
- 생활연령이 동일한 일반학생의 생활 패턴과 그에 따른 의사소통 형태를 근거로 보완·대체의사소통 평가를 수행함
- 자연스러운 환경 내에서 의사소통을 가로막는 기회장벽과 접근 장벽을 평가함

5) (나)의 ㉤을 다음과 같이 구성하였다. 어떤 어휘 목록 구성 전략을 사용한 것인지 쓰시오.

안녕하세요.	감사합니다.	경찰관	소방관	누구
우체부	의사	환경미화원	힘든 점	좋은 점
언제	어디	무엇인가요?	어떤 일을 하세요?	일하세요?

31

(나)는 최 교사가 작성한 '2009 개정 교육과정' 실과 교수·학습 과정안의 일부이다. 물음에 답하시오.

(나) 교수·학습 과정안

학습목표	• 여러 가지 직업을 조사하여 특성에 따라 분류할 수 있다. • 여러 가지 직업이 있음을 설명할 수 있다.	
단계	ⓒ 교수·학습 활동	보편적학습설계(UDL) 지침 적용
도입	(생략)	
전개	〈활동 1〉 전체학급 토의 및 소주제별 모둠 구성 • 전체학급 토의를 통해서 다양한 직업분류기준 목록 생성 • 직업분류기준별 모둠을 생성하고 각자 자신의 모둠을 선택하여 참여	• 직업의 종류와 특성을 토의할 때 필수적으로 알아야 할 어휘를 쉽게 설명한 자료를 제공함 • ② 흥미와 선호도에 따라 소주제를 스스로 선택하게 함
	〈활동 2〉 모둠 내 더 작은 소주제 생성과 자료 수집 분담 및 공유 • 분류기준에 따라 조사하고 싶은 직업들을 모둠 토의를 통해 선정 • 1인당 1개의 직업을 맡아서 관련된 자료 수집 • 각자 수집한 자료를 모둠에서 발표하고 공유	• 「인터넷 검색절차지침서」를 컴퓨터 옆에 비치하여 자료수집에 활용하게 함 • ⑩ 발표를 위해 글로 된 자료뿐만 아니라 사진과 그림, 동영상 자료 등 다양한 매체를 이용하게 함
	〈활동 3〉 모둠별 보고서 작성과 전체학급 대상 발표 및 정보 공유 • 모둠별 직업분류기준에 따른 직업 유형 및 특성에 대한 보고서 작성 • 전체학급을 대상으로 모둠별 발표와 공유	모둠별 발표 시 모둠에서 한 명도 빠짐없이 각자가 할 수 있는 역할을 갖고 협력하여 참여하게 함

4) (나)에서 최 교사가 사용한 ②과 ⑩은 응용특수공학센터(CAST)의 보편적학습설계(UDL)의 원리 중 어떤 원리를 적용한 것인지 각각 쓰시오.

②:

⑩:

32 2016 유아A-3

다음은 ○○특수학교의 황 교사와 민 교사의 대화이다. 물음에 답하시오.

황 교사: 최근 수업 활동 중에 컴퓨터를 통한 ㉠교육용 게임을 부분적으로 활용하고 있는데, 유아들이 재미있어 해요. 또한 ㉡자료를 안내하기 위해 사용해도 좋더군요. 그래서 수업 활동을 위해 컴퓨터, 인터넷을 좀 더 적극적으로 활용하면 좋겠다는 생각이 들어요.

민 교사: 우리 반의 현주는 소근육 발달 문제로 마우스 사용이 조금 어려웠는데, 얼마 전에 아버님께서 학교에 있는 것과 같은 터치스크린 PC로 바꾸어 주셨대요. 그래서 지금은 집에서도 스스로 유아용 웹사이트에 들어가서 영상을 보거나 간단한 교육용 게임을 하기도 한다는군요.

황 교사: 그렇군요. 누구든지 장애에 관계없이 웹사이트를 통해 원하는 서비스를 이용할 수 있도록 (㉢)이/가 보장되어야 한다고 생각해요.

민 교사: 맞아요. 그리고 보니 이번에 학교 홈페이지를 새롭게 만들고 있는데, 우리 아이들이 좀 더 쉽게 사용할 수 있도록 ㉣홈페이지의 구성을 내용에 따라 다양한 색으로 처리하여 구별할 수 있도록 하면 좋겠어요. 그리고 ㉤홈페이지에 접속하면 팝업창이 자동으로 뜨게 하면 좋겠어요.

황 교사: 아이들이 들어와서 친구들 사진이나 학교 행사 영상 등을 볼 테니까 ㉥화면 구성은 가능한 한 간단하게 구성하면 좋겠지요. ㉦페이지의 프레임 사용도 가능한 한 제한하면 좋을 것 같고요.

---

1) 컴퓨터보조수업(CAI)의 유형 중 ㉠은 '게임형', ㉡은 '자료 안내형'에 해당한다. 이 유형 외에 컴퓨터보조수업(CAI)의 유형 2가지를 쓰시오.

　①:

　②:

2) ㉢에 들어갈 말을 쓰시오.

3) ㉣~㉦의 내용 중 시각장애 유아의 특성을 고려할 때 정보인식을 방해하는 내용 2가지를 찾아 그 기호와 이유를 각각 쓰시오.

　① 기호와 이유:

　② 기호와 이유:

33 2016 초등A-6

다음은 자폐성장애 학생을 지도하기 위해 작성한 '2011 개정 특수교육 교육과정' 중 기본 교육과정 사회과 1~2학년군 '마음을 나누는 친구' 단원의 교수·학습 과정안의 일부이다. 물음에 답하시오.

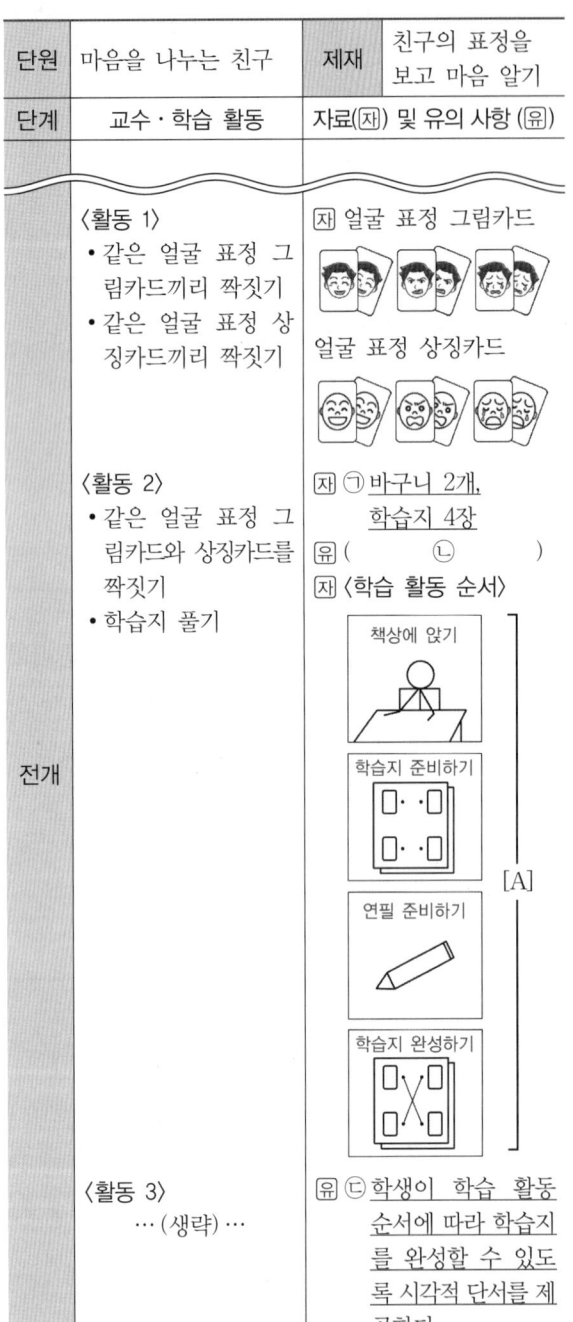

3) 교사는 ⓒ을 위해 [A]와 같은 흑백 선화를 활용하였다. 학생이 [A]의 〈학습 활동 순서〉에 따라 학습 활동을 스스로 하지 못하자, 교사는 다른 시각적 단서를 제공하고자 한다. 이때 교사가 제공할 수 있는 시각적 단서의 예를 도상성 수준을 고려하여 1가지 쓰시오.

34   2016 초등B-4

(나)는 은지의 특성이고, (다)는 교사가 은지에게 음성출력 의사소통기기를 사용하도록 지도하는 장면이다. 물음에 답하시오.

(나) 은지의 특성

- 경직형 사지마비인 뇌성마비로 진단받았음
- 오른손으로 스위치를 이용함
- 스캐닝(scanning : 훑기) 기법으로 음성출력 의사소통기기를 사용하여 의사소통함
- 휠체어에 앉아 있을 때의 모습은 다음과 같음

(다) 음성출력 의사소통기기 사용 지도 장면

김 교사: ⓒ(음성출력 의사소통기기와 스위치를 은지의 휠체어용 책상에 배치한다.) 이 모둠에서는 은지가 한번 발표해 볼까요? (음성출력 의사소통기기와 은지를 번갈아 보며 잠시 기다린다.)

은 지: (자신의 음성출력 의사소통기기를 본 후 교사를 바라본다.)

김 교사: 은지야, "양달은 따뜻해요."라고 말해 보자. (음성출력 의사소통기기에서 양달 상징에 불빛이 들어왔을 때, 은지의 스위치를 눌러 '양달은 따뜻해요.'라는 음성이 산출되도록 한다. 그런 다음 은지가 스위치를 누르는 것을 기다려준다.)

은 지: (음성출력 의사소통기기에서 양달 상징에 불빛이 들어왔을 때, 스위치를 눌러 '양달은 따뜻해요.'라는 음성이 산출되도록 한다.)

김 교사: (ⓒ   )

4) (다)의 ⓒ에서 김 교사가 은지의 음성출력 의사소통기기 사용을 촉진하기 위해 '메시지 확인하기 전략'을 사용하였다. ⓒ에 들어갈 교사의 말을 쓰시오.

35 2016 중등A-7

다음은 김 교사가 중학생 영수(뇌병변, 저시력)의 쓰기 지도를 위해 작성한 계획서이다. 지도 단계 중 2단계에 적용된 직접선택 기법의 활성화 전략 명칭을 쓰시오. 그리고 영수의 컴퓨터 접근 특성을 고려할 때, ㉠~㉢ 중에서 틀린 내용 1가지의 기호를 쓰고 그 이유를 설명하시오.

〈컴퓨터를 통한 쓰기 지도 계획〉

- 목표: 컴퓨터를 이용하여 글쓰기를 할 수 있다.
- 영수의 컴퓨터 접근 특성
  - 일상생활에서 사용하는 간단한 단어는 말할 수 있음
  - 대근육 및 소근육 운동 기능이 떨어져 키보드 또는 마우스를 통한 글자 입력이 어려움
  - 근긴장도가 높아 주먹을 쥔 상태에서 트랙볼을 사용함
  - 트랙볼을 이용하여 마우스 포인터를 이동시켜 특정 키(key)를 선택함
  - 빛에 민감하여 눈의 피로도가 높음
- 지도 단계

단계	지도 내용	유의점
1단계	○ 책상 높낮이 조절, 모니터 높낮이 및 각도 조절 ○ 컴퓨터 입력 기기 준비: 화상 키보드, 트랙볼	윈도우 프로그램을 기반으로 함
2단계	○ 화상 키보드 환경 설정 • 화상 키보드 사용 방식: '가리켜서 입력' 선택 • 가리키기 시간: 2초 [마우스 포인터를 특정 키 위에 2초 이상 유지시키면 해당 키의 값이 입력됨]	㉠ 영수의 특성을 고려하여 마우스 포인터의 움직임 속도를 조정함 ㉡ 키보드 개별 키의 크기를 확대하기 위해 '숫자 키패드 켜기'를 설정하지 않음 ㉢ '로그온 시 화상 키보드 시작'을 설정하여 컴퓨터 시작 시에 항상 사용할 수 있게 함
3단계	○ 화상 키보드 연습 • 트랙볼을 조정하여 마우스 포인터를 특정 키 위에 위치시키기	㉣ 반전 기능을 이용하여 대비 수준을 조정함
4단계	○ 글쓰기 • 기본 자모음 입력하기 • 기능키와 함께 단어 입력하기 • 다양한 기능키를 활용하여 짧은 문장 완성하기	㉤ 간단한 단어 입력을 위해 대체 입력 프로그램인 스크린리더를 병행하여 사용함

36
2016 중등A-10

(가)는 학생 A에 대한 정보이고, (나)는 국어과 교수·학습 방법 및 평가 계획이다. 〈작성 방법〉에 따라 순서대로 쓰시오.

(가) 학생 A의 정보

- 중도 정신지체와 경도 난청을 가진 중도·중복장애 중학생임
- 기본 교육과정 초등학교 1~2학년군의 학업 수행 수준임
- 음성언어로 의사소통을 하기가 어렵고, 자발적인 발화가 거의 나타나지 않음

(나) 국어과 교수·학습 방법 및 평가 계획

관련 영역		적용
교수·학습 방법	교수·학습 계획	음성언어를 사용하는 데 어려움이 있는 중도·중복장애 학생이므로 ㉠보완·대체의사소통체계를 활용함
	교수·학습 운용	일반적인 교과학습과 동시에 언어경험접근법과 ㉡환경중심 언어중재 등을 상황에 맞게 활용하여 지도함
평가 계획		㉢

〈작성 방법〉
- 밑줄 친 ㉠의 구성 요소 4가지를 쓸 것

37
2017 유아A-1

다음은 중복장애 유아 동우의 어머니가 유아특수교사인 김 교사와 나눈 상담 내용의 일부이다. 물음에 답하시오.

김 교사: 어머니, 가족들이 동우와 의사소통하는 데 어려움이 있다고 하셨지요?
어머니: 네. 동우는 ㉠근긴장도가 높아서 팔다리를 모두 움직이기가 어렵고, 몸을 움직이려고 하면 뻗치는 경우가 많잖아요. 그리고 선생님께서 아시는 것처럼 시각장애까지 있어서, 말하는 것은 물론 눈빛으로 표현하는 것도 어려워해요. 가족들은 동우가 뭘 원하는지 알 수가 없어요.
김 교사: 그래서 이번 개별화교육계획지원팀 회의에서 결정한 바와 같이 동우에게 보완대체의사소통을 사용하려고 해요. 이를테면, 동우에게 ㉡우선적으로 필요한 어휘를 미니어처(실물모형)로 제시하고 자신이 원하는 것을 만져서 표현하도록 하면 좋겠어요. ㉢미니어처를 사용하면 누구나 동우가 표현하고자 하는 바를 명확하게 알 수 있으니까요.
어머니: 그러면 집에서 동우를 위해 우리 가족이 해야 하는 일은 무엇인가요?
김 교사: 가족들이 반응적인 의사소통 환경을 만들어 주시면 동우의 의사소통 기술이 발달하는 데 도움이 될 수 있어요. 예를 들어, ㉣동우가 장난감 트럭을 앞뒤로 밀고 있다면 어머님도 동우가 밀고 있는 장난감 트럭을 보고 있다는 것을 동우에게 알려 주시고, 동우가 보이는 행동에 즉각적으로 의미 있게 반응해 주세요.

2) ㉡은 보완대체의사소통체계(구성 요소)에 해당하는 설명이다. ㉡에 나타난 구성 요소 2가지와 그에 해당하는 예시를 지문에서 찾아 각각 쓰시오.

①:

②:

3) ㉢에 나타난 보완대체의사소통체계(구성 요소)와 관련된 특성 1가지를 쓰시오.

38 2017 유아B-4

(가)는 발달지체 유아 준희의 특성이고, (나)는 통합학급 교수활동 계획안의 일부이다. 물음에 답하시오.

(가)

- 장애명: 발달지체(언어발달지체, 뇌전증)
- 언어 이해: 3~4개 단어로 된 간단한 문장을 이해함
- 언어 표현: 그림카드 제시하기 또는 지적하기로 자신의 의사를 표현함

(나)

활동명	이럴 땐 싫다고 말해요		대상 연령	5세
활동 목표	• ⓒ 성폭력 위험 상황에 대처한다. • 기분 좋은 접촉과 기분 나쁜 접촉을 구분하고 표현한다.			
활동 자료	동화『다정한 손길』			
활동 자료 수정	상황과 주제에 적합한 그림카드, 수정된 그림동화, 동영상, 사진, PPT 자료 등			
활동 방법				
교사 활동	유아 활동		자료 및 유의점	
	일반 유아	장애 유아		
1. 낯선 사람이 내 몸을 만지려 할 때 어떻게 해야 할지 이야기 나눈다.	(생략)		ⓒ 준희를 위해 동화 내용을 4장의 장면으로 간략화한 그림동화 자료로 제시한다.	
2. 동화『다정한 손길』을 들려준다.				
3. 동화 내용을 회상하며 여러 가지 유형의 접촉에 대해 이야기 나누고 기분 좋은 접촉과 기분 나쁜 접촉을 구별할 수 있게 한다.		ⓒ 교사의 질문에 그림카드로 대답한다.		
4. 기분 나쁜 접촉이 있을 때 취해야 할 행동에 대해 알려 준다.			ⓔ 준희에게 경련이 일어나면 즉시 적절히 대처한다.	

… (하략) …

2) (가)를 참고하여 (나)의 ⓒ, ⓒ에 적용한 '보편적학습설계' 원리를 각각 쓰시오.

ⓒ:

ⓒ:

39   2017 초등A-5

(가)는 2011 개정 특수교육 교육과정 중 기본 교육과정 미술과 5~6학년 '소통하고 이해하기' 단원 교수·학습 과정안이고, (나)는 자폐성장애 학생 지혜의 특성을 고려하여 보완·대체 의사소통 체계(AAC)를 활용한 의사소통 지도계획이다. 물음에 답하시오.

(가)

학년	단원	소단원	제재	차시
6	7. 소통하고 이해하기	7.2 생활 속 여러 알림 메시지	1) 우리 주변의 알림 메시지	9/12

교수·학습 활동	자료(㉓) 및 유의점(㉔)
활동 1	• 여러 가지 픽토그램 살펴보기 • ㉠픽토그램이 갖추어야 할 조건 알아보기	㉓ 여러 가지 픽토그램 ─[A]─ 예 📖 ❓
활동 2	• (㉡)	㉔ 수업 중 활용한 픽토그램을 의사소통 지도에 활용한다.
활동 3	• 여러 가지 픽토그램을 보고 느낀 소감 말하기	

(나)

지혜의 특성	의사소통 지도 계획
• 시각적 자극을 선호함 • 소근육이 발달되어 있음 • 태블릿PC의 AAC 애플리케이션을 사용함 • 일상생활과 관련된 어휘를 제한적으로 이해하고 사용할 수 있음 • 질문에 대답은 하지만 자발적으로 의사소통을 시도하지 않음	• 미술시간에 배운 [A]를 ㉢AAC 어휘목록에 추가하고, [A]로 의사소통할 수 있다는 것을 지도한다. • [A]를 사용하여 ㉣대화를 시도하고 대화 주제를 유지할 수 있도록 지도한다. • ㉤'[A]를 사용한 의사소통하기'를 습득한 후, 습득하기까지 필요했던 회기 수의 50%만큼 연습기회를 추가로 제공하여 [A]의 사용을 유지할 수 있게 한다.

1) (가)의 ㉠이 의미를 분명하게 전달하기 위해 갖추어야 할 조건 1가지를 쓰시오.

3) AAC 사용자가 갖추어야 할 4가지 의사소통 능력 중 (나)의 ㉢과 ㉣을 통해 향상시킬 수 있는 능력은 무엇인지 각각 쓰시오.

㉢:

㉣:

40 (2017 초등B-2)

(다)는 지체장애 특수학교에서 제작한 '학생 유형별 교육 지원 사례 자료집'에 수록된 Q & A의 일부이다. 물음에 답하시오.

(다)

> **Q** 혼합형 뇌성마비 학생 C는 교사가 '요구하기('집' 소리가 녹음된 음성출력도구의 버튼 누르기)' 시범을 보이면 쉽게 따라할 수 있습니다. 교사의 시범 없이도 학생이 '요구하기'를 할 수 있게 하는 방법을 알고 싶습니다.
>
> **A** 강화된 환경중심 언어중재 전략(EMT) 중 '요구-모델' 절차를 적용하여 다음과 같이 지도할 수 있습니다.
>
> > 학생: (하교할 준비를 마치고 닫혀 있는 교실 문을 바라본다.)
> > 교사: (ⓜ학생이 바라보고 있는 교실 문을 바라본다.) 뭘 하고 싶어?
> > 학생: ('집'소리가 녹음된 버튼을 누른다.) '집' 🔊
> > 교사: 그렇구나! 집에 가고 싶구나! (학생을 통학 버스 타는 곳까지 데려다 준다.)
> > … (하략) …
> >
> > ※ 🔊는 녹음된 말소리를 의미함

4) 교사가 (다)의 ⓜ과 같이 행동한 이유를 쓰시오.

41 (2017 중등A-9)

(가)는 학생 P의 특성이고, (나)는 중학교 1학년 기술·가정과 '건강한 식생활과 식사 구성'을 지도하기 위하여 통합학급 교사와 특수교사가 협의한 내용이다. 특수교육공학응용센터(Center for Applied Special Technology ; CAST)의 보편적 학습설계(UDL)에 근거하여 ⓒ에 적용 가능한 원리를 쓰고, 그 예를 1가지 제시하시오.

(가) 학생 P의 특성

- 상지의 소근육 운동 기능에 어려움이 있는 지체장애 학생으로 경도 지적장애를 동반함
- 특별한 문제행동은 없으며, 학급 친구들과 원만한 관계를 유지하고 있음

(나) 통합학급 교사와 특수교사의 협의 내용

관련 영역	수업 계획	특수교사의 제안 사항
학습 목표	• 탄수화물이 우리 몸에서 하는 일을 설명할 수 있다.	• 본시와 관련된 핵심 단어는 특수학급에서 사전에 학습한다.
교수·학습 방법	• 우리 몸에서 필요한 영양소의 종류 및 기능 －㉠ 모둠 활동을 할 때 튜터와 튜티의 역할을 번갈아 가면서 한다. －(㉡)	• P에게 튜터의 역할과 절차를 특수교사가 사전에 교육한다.
평가 계획	• 퀴즈(지필 평가) 실시	• ㉢ UDL의 원리를 적용하여 P의 지필 평가 참여 방법을 조정한다.

42

(가)는 학생 S의 특성이고, (나)는 사회과 '도시의 위치와 특징' 단원의 전개 계획이다. ⓑ의 이유를 서술하시오.

(가) 학생 S의 특성

- 황반변성증으로 교정시력이 0.1이며, 눈부심이 있음
- 묵자와 점자를 병행하여 학습하고, 컴퓨터 사용을 많이 함
- 주의집중력이 좋으나, 지체·중복장애로 인해 상지의 기능적 사용에 어려움이 있고, 빛에 매우 민감하게 반응함
- 키보드를 통한 자료 입력 시 손이 계속 눌려 특정 음운이 연속해서 입력되는 경우가 자주 있음(예 ㄴㄴㄴ나)

(나) '도시의 위치와 특징' 단원 전개 계획

차시	주요 학습 내용	학생 S를 위한 고려사항
1	세계의 여러 도시 위치 확인하기	• ㉠ 손잡이형 확대경(+20D)을 활용하여 지도를 보게 함

2~4	인터넷을 통해 유명하거나 매력적인 도시 찾아보기	• 컴퓨터 환경 설정 수정(윈도우용)
		  - ㉡ 고대비 설정을 통해 눈부심을 줄이고 대비 수준을 높임
		  - ㉢ 토글키 설정을 통해 키보드를 한 번 눌렀을 때 누르는 시간에 관계 없이 한 번만 입력되게 함

5~6	도시별 특징을 찾고 보고서 작성하기	• ㉣ 키보드를 누를 때 해당키 값의 소리가 나게 '음성인식' 기능을 설정함
7	관련 웹 콘텐츠를 통해 단원 평가하기	• ㉤ 색에 관계없이 인식될 수 있는 콘텐츠를 활용함 • ㉥ 깜빡이거나 번쩍이는 콘텐츠가 없는 사이트를 활용함

〈 작성 방법 〉

- ㉥의 이유를 작성할 때, '한국형 웹 콘텐츠 작성 지침 2.1'과 학생 S의 특성에 기초하여 작성할 것

43 | 2018 유아A-8

다음은 김 교사가 유치원 통합학급에서 재민이의 놀이 활동 참여를 위해 필요한 보조공학 접근을 평가한 내용이다. 물음에 답하시오.

- 재민이의 특성
  - 뇌성마비 경직형 사지마비임
  - 신체활동에 대한 피로도가 높은 편임
  - 주의집중력이 높은 편임
  - 발성 및 조음에 어려움이 있으며 놀이 활동에 참여하고자 하나 활동 개시가 어려움
  - 활동 시간에 교사의 보조를 받아 부분 참여가 가능함
  - 코너체어 머리 지지대에서 고개를 좌우로 정위할 수 있으나 자세를 유지하기 어려움

- 환경 특성
  - 자유 놀이 시간에 별도의 교육적·물리적 수정이 이루어지지 않음
  - 교사 지원: 교사가 유아들에게 개별 지원을 제공하나 재민이에게만 일대일로 지속적인 지원을 제공하는 데 어려움이 있음
  - 교실 자원: 다양한 놀잇감이 마련되어 있으나 재민이가 조작할 수 있는 교구는 부족함
  - 태도 및 기대: 재민이가 독립적으로 놀이 활동에 참여할 수 있기를 희망함
  - 시설: 특이사항 없음

- 수행 과제 특성
  - 개별화교육계획과의 연계 목표: 재민이의 사회성, 의사소통 기술 향상
  - 자유 놀이 활동과 연계된 수행 과제: 또래에게 상호작용 시도하기, 놀이 개시하기

- 도구에 대한 의사결정
  - 노 테크(No Tech) 접근: 놀이 규칙과 참여 방법 수정
  - 보조공학 도구: 싱글스위치를 이용한 보완대체의사소통 방법 활용
  - 요구 파악 및 활용도 높은 도구 선정: 코너체어 머리 지지대에 싱글스위치를 부착하고, 8칸 침톡과 연결하여 훑기 방법 지도
  - 적용을 위한 계획 수립과 실행을 위한 지속적인 자료 수집

1) ① 김 교사가 재민이에게 필요한 지원을 계획하기 위해 사용한 보조공학 평가 모델을 쓰시오. 이 평가 모델에 근거하여 ② 현재 재민이의 '환경 특성'에서 평가해야 할 내용 중 빠진 내용을 쓰고, ③ 관련 하위 내용 3가지를 쓰시오.

①:

②:

③:

2) 도구에 대한 의사결정 단계에서 ① 재민이에게 적절한 훑기 선택 조절 기법을 쓰고, ② 해당 기법이 적절한 이유를 재민이의 특성에 근거하여 쓰시오.

①:

②:

44 2018 초등A-3

(가)는 지체장애 학생 미주와 영수의 특성이고, (나)는 교사가 2011 개정 특수교육 교육과정 중 기본 교육과정 사회과 5~6학년 '우리나라의 명절과 기념일' 단원을 지도하기 위해 개념 학습 모형에 따라 작성한 수업계획의 일부이다. 물음에 답하시오.

(가)

미주	• ㉠경직형 뇌성마비이며 오른쪽 편마비를 가짐 • 발화는 가능하나 발음은 부정확함
영수	• 독립적인 보행이 어려워 수동 휠체어를 사용함 • 보완·대체의사소통(AAC) 도구를 사용함

(나)

- 학습 내용 소개
  - ㉡텔레비전으로 국경일 동영상 시청하기
- (㉢)
  - 자신이 가장 기뻐하고 축하받은 날에 대해 ㉣이야기 나누기   [A]

↓

- 개념 제시
  - 국경일 관련 경험에 대해 이야기 나누기
  - 국경일 관련 특별 행사 참여 경험 나누기   [B]
  - 국경일 관련 특별 프로그램 시청 경험 나누기
- 개념에 대한 정의 내리기

↓

- 추가 사례 찾기
  - 삼일절, 제헌절, 광복절, 개천절, 한글날 관련 경험 발표하기
- 속성 분류하기

↓

3) (나)의 밑줄 친 ㉣에 참여하기 위해 영수는 여과 활성화(filtered activation) 기능이 적용된 보완·대체의사소통(AAC) 도구를 사용하려 한다. 여과 활성화의 작동 원리를 쓰시오.

45　　2018 초등B-2

(가)는 통합학급 학생의 현재 학습 수준이고, (나)는 (가)를 고려하여 특수교사와 일반교사가 수립한 컴퓨터 보조 수업(CAI) 기반 협력 교수 계획의 일부이다. (다)는 곱셈 수업에 사용할 교육용 소프트웨어 제작 시 반영된 고려 사항과 교육용 소프트웨어 구현 장면의 예이다. 물음에 답하시오.

(가)

학생	현재 학습 수준
일반 학생	두 자리 수 × 한 자리 수 문제를 풀 수 있음
지혜, 진우 (학습부진)	한 자리 수 × 한 자리 수 문제를 풀 수 있음
세희 (지적장애)	곱셈구구표를 보고 한 자리 수 곱셈 문제를 풀 수 있음

(나)

교사의 역할 \ 협력 교수의 유형	(㉠)
일반교사	• 수업의 시작과 정리 단계에서 학급 전체를 대상으로 진행함 • 전개 단계 중 지혜, 진우, 세희로 구성된 소집단을 제외한 나머지 학생을 지도함 • 교육용 소프트웨어를 활용하여 연습하도록 지도함
특수교사	• 수업의 전개 단계에서 ㉡<u>지혜, 진우, 세희를 소집단으로 구성하여 지도함</u> • 교육용 소프트웨어를 통하여 현재 학습 수준에 적합하게 연습하도록 지도함

(다)

〈소프트웨어 제작 시 고려 사항〉
• 교수 목적과 학습 목표를 뚜렷하게 부각
• 학습자 수준에 적합한 난이도를 위한 자료의 다양화　　　　　　　　　　　　　　　　[A]
• 성취 지향적 피드백의 증진

〈교사 제작 교육용 소프트웨어 구현 장면〉

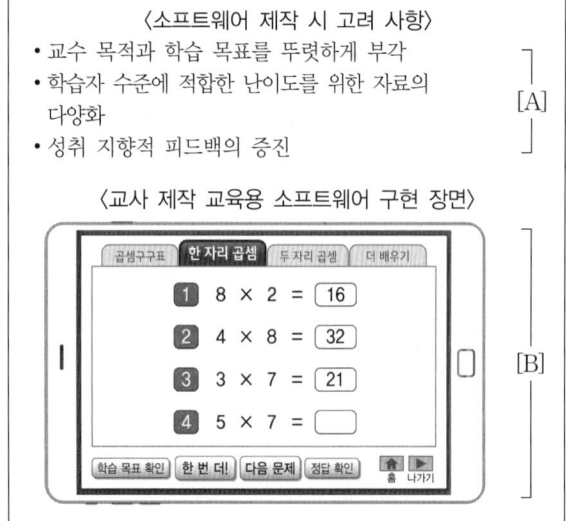
[B]

2) ① 2011년에 응용특수공학센터(Center for Applied Special Technology ; CAST)에서 제시한 보편적 학습설계 원리 중 (다)의 [A]에 적용된 원리 1가지를 쓰고, ② [B]에 제시된 교육용 소프트웨어의 유형을 쓰시오.

① :

② :

46

2018 중등A-10

다음은 보조공학 사정 모델의 단계별 주요 내용이다. 〈작성 방법〉에 따라 서술하시오.

사정 모델	(㉠)	
단계	주요 내용	유의점
학생 능력 [검토]	• (㉡) • 활동적인 과제를 수행함 • 다양한 방과 후 활동에 참가하고 있음	사례사, 관찰, 면담, 진단서 등 다양한 자료를 포함할 것
목표 [개발]	• 과제 수행과 다양한 방과 후 활동에 적극적으로 참가하기 • 이를 위한 휠체어 선정하기	목표 달성의 실현가능성에 대해 토론할 것
과제 [조사]	• 목표 달성에 필요한 다양한 과제조사 • ㉢ 과제 수행, 방과 후 활동과 관련한 구체적인 환경 및 맥락 조사	학교, 가정 등 다양한 장소에서 조사할 것
과제의 난이도 [평가]	각 과제별 난이도 평가	모든 과제에 대해 평가를 실시함
목표 달성 [확인]	• 과제 수행과 다양한 방과 후 활동에 적절한 휠체어 선정 ㉣ 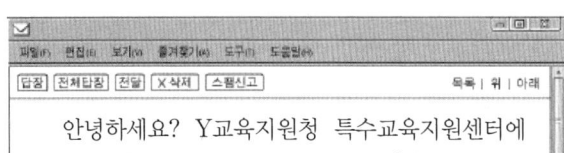 • A는 왼쪽 바퀴에, B는 오른쪽 바퀴에 동력이 전달되도록 주행능력 평가	• 팔 받침대 높이를 낮게 하여 책상에 대한 접근성을 높임 • 활동공간에 따라 ㉤ 보조바퀴(caster)의 크기를 조정함

〈작성 방법〉
• ㉠에 들어갈 보조공학 사정 모델의 명칭을 쓸 것
• Bryant 등(2003)의 '보조공학 사정의 3가지 특성' 중에서 밑줄 친 ㉢에 해당하는 것을 쓸 것

47

2018 중등A-12

다음은 특수교사인 김 교사가 보완·대체 의사소통(AAC) 기기를 사용하는 학생 J의 부모님께 보낸 전자우편이다. 〈작성 방법〉에 따라 서술하시오.

안녕하세요? Y교육지원청 특수교육지원센터에서 실시하는 'AAC 기기 활용 워크숍'에 대해 안내를 드립니다.

㉠ 이번 워크숍에서는 학생 J가 사용 중인 AAC 기기를 개발한 전문가와 함께 기기에 새로운 상징을 추가해 보고, 유형에 따라 상징을 분류하는 방법을 실습합니다. 또한 배터리 문제 발생 시 해결할 수 있는 기기 관리 방법에 대해서도 안내할 예정입니다.

저와 학생 J의 담임교사도 이 워크숍에 참여합니다. 부모님께서도 이 워크숍이 AAC 기기 활용과 관리에 많은 도움이 되시기를 바랍니다. 워크숍에 대한 자세한 내용은 첨부한 파일을 참조하십시오. 감사합니다.

… (하략) …

〈작성 방법〉
• 뷰켈만과 미렌다(D. Beukelman & P. Mirenda)의 참여모델에서 언급한 장벽 중 ㉠을 통해 해결할 수 있는 기회 장벽 유형을 2가지 적을 것

48 2019 유아A-8

다음은 4세 발달지체 유아 승우의 어머니와 특수학급 민 교사 간 대화의 일부이다. 물음에 답하시오.

민 교 사: 승우 어머니, 요즘 승우는 어떻게 지내나요?

승우 어머니: 승우가 말로 의사 표현을 하지 못하니 집에서 어려움이 많아요. 간단하게라도 승우가 원하는 것을 알고 상호작용을 할 수 있으면 좋겠는데, 어떻게 해야 할지 모르겠어요. 유치원에서는 승우를 어떻게 지도하시는지요?

민 교 사: 유치원에서도 ㉠승우에게는 아직 의도적인 의사소통 행동이 명확하게 잘 나타나지 않아서, 승우의 행동이 뭔가를 의미한다고 생각하고 반응해 주고 있어요. 그리고 ㉡승우가 어떤 사물을 관심을 가지고 바라보고 있을 때, 그것을 함께 바라봐 주는 반응을 해 주고 있어요.

승우 어머니: 그렇군요. 저는 항상 저 혼자만 일방적으로 말하고 있는 것 같아서 답답했어요.

민 교 사: 집에서도 승우와 대화할 때 어머니의 역할이 중요해요. 그럴 때는 ㉢어머니께서 승우가 의사를 표현할 수 있을 거라는 기대를 가지고 기회를 제공하여, 의사를 표현하는 동안 충분히 기다려 주는 것이 필요하지요. 승우에게 필요한 표현을 ㉣간단한 몸짓이나 표정, 그림 등으로 나타낼 수 있도록 만들어 가면 어떨까요? 예를 들면, ㉤간식 시간마다 승우가 먼저 간식을 달라는 의미로 손을 내미는 행동을 정해서 자신의 의도를 표현할 수 있도록 하는 것이지요.

승우 어머니: 아, 그렇군요. 원하는 것을 표현하면 얻을 수 있다는 것도 가르쳐야 하는군요.

2) ㉢과 ㉣은 보완대체의사소통(AAC)의 4가지 구성 요소 중 무엇에 해당하는지 각각 쓰시오.

㉢:

㉣:

49
2019 초등A-3

(가)는 중복장애 학생 경수의 특성이고, (나)는 특수교사가 작성한 2015 개정 기본 교육과정 수학과 5~6학년 수와 연산영역 교수·학습 과정안의 일부이다. 물음에 답하시오.

(가) 경수의 특성

- 경직형 사지 마비로 미세소근육 사용이 매우 어려움
- 의도하는 대로 정확하게 응시하거나 일관된 신체 동작으로 반응하기 어려움
- 발성 수준의 발화만 가능하고, 현재 인공와우를 착용하고 있음
- 받아올림이 없는 두 자리 수 + 한 자리 수의 덧셈을 할 수 있음
- 범주 개념이 형성되어 있음
- 주의집중 시간이 짧고, 시각적 피로도가 높음

(나) 교수·학습 과정안

단계	교수·학습 활동	자료(⑳) 및 유의점(㉨)
도입	필요한 의자의 수를 구하는 상황 제시	
새로운 문제 상황 제시	• 교실에 22명의 학생이 있고, 학생 12명이 더 오면 의자는 모두 몇 개가 필요할까요? - 필요한 의자의 개수 어림해 보기 - 학생들의 인지적 갈등 유도하기	⑳ 그래픽 조직자
수학적 원리의 필요성 인식	• 22 + 12를 계산하는 방법 생각하기 - 모든 의자의 수 세기, 22 다음부터 12를 이어 세기 등 • 좀 더 효율적인 방법의 필요성 인식하기	⑳ 구체물
수학적 원리가 내재된 조작 활동	• 수모형으로 22 + 12 나타내기 - 십모형과 일모형으로 나타내기 22 + 12 = 34	⑳ 수모형 ㉨ 학생들이 ㉠숫자를 쓸 때, 자리에 따라 숫자가 나타내는 값이 달라지므로 정확한 자리에 쓰게 한다.
수학적 원리의 형식화	• 22 + 12의 계산 방법을 식으로 제시하기 • 22 + 12를 세로식으로 계산하기 22　22　22 +12 ➡ +12 ➡ +12 　　　4　　34	㉨ ⓒ순서에 따라 더하는 숫자를 진하게 다른 색으로 표시한다.
익히기와 적용하기	• 덧셈 계산 원리를 다양한 문제에 적용하여 풀기 - 같은 계산식 유형의 문제 풀기 - 문장제 문제 풀기　[A] - 문제 조건을 바꾸어 새로운 문제 만들어 보기 - 실생활 문제 상황에 적용해 보기	㉨ 경수의 보완·대체의사소통(AAC) 도구에 수 계열 어휘를 추가한다. ㉨ ⓒ경수의 AAC 디스플레이 형태를 선형 스캐닝에서 행렬 스캐닝으로 변경한다.
정리 및 평가	학습 내용 정리 및 차시 예고하기	

4) ① (나)의 ⓒ과 같이 변경한 이유를 (가)에서 찾아 쓰고, ② 선형 스캐닝에서 행렬 스캐닝으로 변경했을 때의 장점을 1가지 쓰시오.

①:

②:

50   2019 중등B-5

(나)는 컴퓨터 정보화교육 프로그램에 참여한 학생 M의 특성과 교육내용이다. 〈작성 방법〉에 따라 서술하시오.

(나) 학생 M

- 특성: 뇌성마비(경직형), 독립이동과 신체의 조절이 어려움(상지 사용과 손의 소근육 운동에 제한)
- 교육내용
  - 대체입력장치인 스위치를 적용하기 전에 운동훈련을 실시함

〈스위치 적용 전 운동훈련 4단계〉

단계	목표	내용
1	시간 독립적 스위치 훈련	배터리로 작동하는 장난감 등을 이용하여 자극-반응 간의 (ⓒ)을/를 익힘
2	시간 종속적 스위치 훈련	스위치를 일정 시간 내에 활성화시키는 훈련

〈스위치 적용 훈련 후〉
- ⓔ 모니터에 훑기(scanning) 방식으로 제시된 항목을 선택하기 위하여 단일 스위치를 사용함

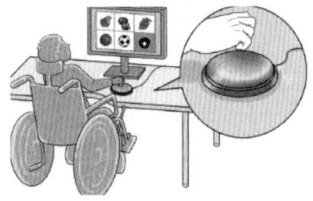

─〈작성 방법〉─
- 괄호 안의 ⓒ에 들어갈 내용을 쓸 것
- 밑줄 친 ⓔ의 스위치를 활용한 선택 방법의 특징을 서술할 것(단, 학생 M의 특성을 연계한 설명은 제외하고, 일반 키보드나 마우스의 항목 선택 방법과 비교하여 서술할 것)

51

2020 유아A-2

(가)는 5세 뇌성마비 유아 슬기의 특성이고, (나)는 지체장애 유아에 대한 유아특수교사들의 대화이다. 물음에 답하시오.

(가)

- 사지를 불규칙하게 뒤틀거나, 팔다리를 움찔거리는 행동을 보임
- 사물에 손을 뻗을 때 손바닥이 바깥쪽으로 틀어지며 의도하지 않는 방향으로 움직임이 일어남
- 정위반응과 평형반응이 결여되어 자세가 불안정함

(나)

장 교사: 저희 원은 새로 입학한 재우를 위해 실내·외 환경을 개선했어요. 휠체어를 타는 재우에게 위험하지 않도록 교실 바닥의 높이 차이를 없앴더니 다른 아이들도 안전하게 생활하게 되었어요.

김 교사: 그렇군요. 교실 바닥 공사가 재우에게만 좋은 것이 아니라 모든 아이들에게도 좋은 거네요.

장 교사: 자갈길로 되어 있던 놀이터 통로도 목재로 바꾸고, 놀이터에 계단 없는 미끄럼틀도 설치했어요. 재우가 휠체어를 타고 내려올 수 있을 정도로 넓게 설치했더니 그곳에서 재우와 함께 여러 명의 아이들이 미끄럼틀을 타면서 놀게 되었어요. 이번에는 그네도 바꾸었어요. [A]

김 교사: 와우! ㉠<u>재우가 그네도 탈 수 있게 되었네요.</u> 결국 누구나 놀 수 있는 놀이터가 되었네요.

… (중략) …

김 교사: 지체장애 유아들은 컴퓨터를 사용할 때 표준형 키보드를 사용할 수도 있지만, 장애유형과 정도에 따라 대체키보드를 사용해야 해요. ㉡<u>소근육 운동 조절이 어려운 유아는 미니 키보드가 도움이 된다고 하네요.</u>

장 교사: 그리고 ㉢<u>손가락 조절이 어려워 한 번에 여러 개의 키를 동시에 누르는 유아들에게는 타이핑 정확도를 향상시킬 수 있도록 키가드를 사용하게 해야겠어요.</u>

김 교사: ㉣<u>손을 떨고 손가락 조절은 잘 안 되지만, 머리나 목의 조절이 가능한 뇌성마비 유아들에게는 헤드 스틱이나 마우스 스틱을 사용하면 좋을 것 같아요.</u>

장 교사: 그렇군요. ㉤<u>마우스를 조정하기 어려운 유아는 트랙볼, 조이스틱을 활용하도록 해야겠어요.</u>

2) ① (나)의 [A]에서 나타난 개념은 무엇인지 쓰고, ② 이 개념에 근거하여 ㉠에 해당하는 그네의 예를 1가지 쓰시오.

①:

②:

3) 보조공학의 관점에서 ① ㉡~㉤ 중 틀린 것을 1가지 찾아 기호를 쓰고, ② 대안을 제시하여 고쳐 쓰시오.

①:

②:

52   2020 초등A-2

(가)는 특수교육지원센터의 공학기기 선정을 위한 협의회 자료의 일부이고, (나)는 협의회 회의록 내용의 일부이다. 물음에 답하시오.

(가) 협의회 자료

학생 정보	성명	정운	민아
	특성	• 불수의 운동형 뇌성마비 • 상지의 불수의 운동이 있어 소근육 운동이 어려움 • 독서활동을 좋아함	• 저시력 • 경직형 뇌성마비 • 상지의 소근육 운동이 다소 어려움 • 확대독서기 이용 시 쉽게 피로하여 소리를 통한 독서를 선호함
특수교육 관련 서비스	상담지원	⋯ (생략) ⋯	
	학습보조 기기지원	• 자동책장넘김장치	• ㉠ 전자도서단말기
	보조공학 기기지원	• (㉡)	• (㉢)
	(㉣) 지원	• 동영상 콘텐츠 활용 지원	• 대체 텍스트 제공 • 동영상 콘텐츠 활용 지원

(나) 협의회 회의록

일시	2019년 3월 13일 15:00	장소	회의실

⋯ (중략) ⋯

[A] 자동책장넘김장치

◦ 일정 시간 동안 좌·우 지시등이 번갈아 깜빡일 때 기기 하단의 버튼을 눌러 선택하면 페이지가 자동으로 넘겨짐(예 좌측 지시등이 깜박이는 5초 동안 버튼을 누르면 자동으로 이전 페이지로 넘어감)

[B] 제공 가능한 공학기기

• 키가드   • 트랙볼   • 헤드 포인터
• 확대 키보드   • 조우스   • 눈 응시 시스템
• 조이스틱

[C] 웹 콘텐츠 제작 시 고려사항

㉤ 읽거나 사용하는 데 충분한 시간을 제공함
㉥ 콘텐츠의 깜빡임 사용을 제한하여 광과민성 발작 유발을 예방함
㉦ 빠르고 편리한 사용을 위하여 반복되는 메뉴를 건너뛸 수 있게 함
㉧ 콘텐츠의 모든 기능에 음성 인식으로 접근하여 사용할 수 있도록 함

1) ① 정운이가 (나)의 [A]를 적절하게 사용하도록 하기 위해 스위치가 함께 제공되어야 하는 이유를 [A] 사용 측면에서 1가지 쓰시오.

2) 「한국형 웹 콘텐츠 접근성 지침 2.1」(개정일 2015. 3. 31.) 중 '운용의 용이성'에 근거하여, ① (가)의 ㉡과 ㉢에 공통으로 들어갈 웹 활용 필수 보조공학기기 1가지를 (나)의 [B]에서 찾아 쓰고, ② (나)의 [C]에서 적절하지 <u>않은</u> 것을 찾아 기호를 쓰고 바르게 고쳐 쓰시오.

① :

② :

53
2020 초등B-4

다음은 통합학급 교사인 최 교사가 특수교사인 강 교사와 교내 메신저로 지적장애 학생 지호의 음악과 수행평가에 대해 나눈 대화의 일부이다. 물음에 답하시오.

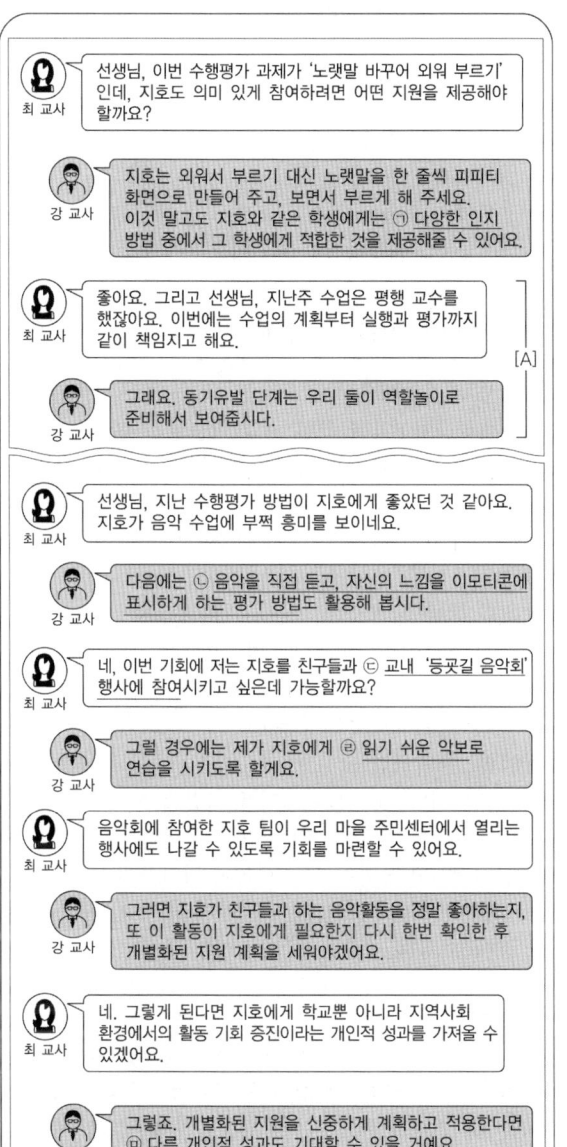

1) 2011년에 '응용특수공학센터(CAST)'에서 제시한 보편적 학습설계 원리 중 ㉠에 적용된 원리 1가지를 쓰시오.

54
2020 초등B-5

다음은 초임 특수교사가 관찰한 학생들의 특성과 이에 대한 수석 교사의 조언 일부이다. 물음에 답하시오.

학생	학생 특성	조언
은지	• 인지 및 언어발달 지체가 심함 • 자신의 요구를 나타내려는 듯이 "어-, 어-, 어-", "우와, 우와, 우와"와 같은 소리를 내고, 교사가 이해하기 어려운 몸짓을 사용하기도 함	• ㉠표정, 몸짓, 그림 가리키기, 컴퓨터 등을 포함한 비구어적 수단을 활용하는 지도 방법을 통해 언어발달을 도와줄 수 있음
소희	• 상황에 맞지 않거나 문법적 오류가 많이 포함된 2~3어절 정도 길이의 말을 함 • 대화 시 교사의 말에 대한 반응이 없거나 늦음	• ㉡언어지도 시 일상생활과 관련하여 잘 계획되고 통제된 맥락의 활용을 고려해 볼 수 있음 • 학생의 의사소통 기회를 증가시키기 위해 교사가 말을 하다가 '잠시 멈추기'를 해 주는 방법을 쓸 수 있음
인호	• ㉢"김치 매운 먹어요."와 같은 문장을 사용하거나, ㉣"생각이 자랐어."와 같은 말을 이해하지 못함 • ㉤주어를 빼고 말하는 경우가 자주 있음	• 언어학의 하위 영역별로 지도하면 좋음 • ㉥W-질문법을 활용하면 좋음

1) ㉠이 무엇인지 쓰시오.

55 | 2020 초등B-6

다음은 자폐성장애 학생들이 포함되어 있는 학급의 특수교사가 2015 개정 특수교육 교육과정 중 기본 교육과정 과학과 3~4학년군 '생물과 무생물' 단원의 '새싹 채소가 자라는 모습을 살펴보기' 수업을 준비하며 작성한 수업 설계의 일부이다. 물음에 답하시오.

1. 예상되는 어려움과 대안
   가. 새싹이 자라는 기간이 길기 때문에 이를 살펴보고 이해하는 것이 학생들에게 어려울 수 있음
      → ㉠컴퓨터 보조수업 활용: 실제 활동 전 새싹 채소를 키우는 것과 유사한 상황에서 씨앗 불리기, 씨앗 뿌리기, 물 주기 등 필요한 행동을 선택해 나가며 새싹 키우는 과정을 체험해보게 함
   나. 학생 간 수행 수준의 차이가 큼
      → 개별 지도가 필요한 학생의 경우 개인 교수형 컴퓨터 보조수업을 활용함

2. 새싹 채소 키우기 활동(교과서 ○○쪽)
   물 속에서 씨앗 불리기 → 플라스틱 용기에 넣은 솜이 젖을 정도로 물 뿌리기 → …(중략)… → ㉡씨앗의 모양이 어떻게 변해 가는지, 만졌을 때의 느낌은 어떠한지 등을 오감을 통해 살펴보기

3. 과학 수업의 방향 고려
   초등학교 수업은 (㉢) 지식을 중심으로 계획함

4. 자폐성장애 학생들의 특성 및 지도상의 유의점
   가. 정민이의 경우 ㉣촉각자극에 대한 역치가 매우 낮고 감각 등록이 높으므로 물체를 탐색하는 과정에서 이를 고려함
   나. 경태의 경우 수업 중 규칙을 잘 지키지 않아 친구를 당황하게 하는 경우가 많음

1) ㉠에서 활용한 컴퓨터 보조수업 유형을 쓰시오.

56 | 2020 중등A-7

(가)는 뇌성마비 학생 F의 의사소통 특성이고, (나)는 학생 F의 수업 참여도를 높이기 위해 교사가 작성한 보완대체 의사소통기기 활용 계획의 일부이다. 〈작성 방법〉에 따라 서술하시오.

(가) 학생 F의 의사소통 특성
- 한국 웩슬러 아동용 지능검사 4판(K-WISC-Ⅳ) 결과: 언어이해 지표 점수 75
- 조음에 어려움이 있음
- 태블릿 PC 애플리케이션을 이용하여 수업에 참여함

(나) 보완대체의사소통기기 활용 계획
- 활용 기기: 태블릿 PC
- 애플리케이션을 활용한 수업 내용
  - ㉠문장을 어순에 맞게 표현하기
- 어휘 목록
  - 문법 요소, 품사 등 수업 내용에 관련된 어휘 목록 선정
- 어휘 목록의 예
  - 나, 너, 우리, 학교, 집, 밥, 과자 ┐
  - 을, 를, 이, 가, 에, 에서, 으로 ├ ㉡
  - 가다, 먹다, 오다, 공부하다   ┘
- 어휘 선택 기법
  - 화면이나 대체 입력기기를 직접 접촉하거나 누르고 있을 동안에는 선택되지 않음
  - 선택하고자 하는 해당 항목에 커서가 도달했을 때, 접촉하고 있던 것을 떼게 되면 그 항목이 선택됨 ┤ ㉢

〈작성 방법〉
- (나)의 ㉡에 해당하는 어휘 목록 구성 전략을 1가지 쓰고, ㉠의 수업 내용을 고려하여 어휘 목록을 구성할 때, 어휘를 배열하는 방법을 1가지 서술할 것
- (나)의 ㉢에 해당하는 어휘 선택 기법을 1가지 쓸 것

57

2020 중등B-4

(가)는 ○○중학교에서 통합교육을 받고 있는 학생 D와 E에 대해 담임교사와 특수교사가 나눈 대화의 일부이고, (나)는 특수교사가 작성한 수업 지원 계획의 일부이다. 〈작성 방법〉에 따라 서술하시오.

(가) 대화

특수교사:	학생 D와 E의 특성에 대해 이야기해 보고, 수업에서 지원할 수 있는 방법을 의논해 볼까요?
담임교사:	네, 먼저 학생 D는 ⓐ<u>수업의 주제를 도형이나 개념도와 같은 그림으로 표현하는 것을 좋아한다고 합니다. 자신이 지각한 것을 머릿속에서 시각화하고, 이것을 창의적으로 표현하는 능력이 뛰어난 학생입니다.</u> 그리고 학생 E는 체육 활동에 적극적으로 참여하고, 수행 수준도 우수하다고 해요. 하지만 제 수업인 국어 시간에는 흥미가 없어서인지 활동에 잘 참여하지 않아서 걱정입니다.
특수교사:	두 학생의 장점이나 흥미를 교수·학습 활동에 반영하고, 선생님과 제가 수업을 함께 해보면 어떨까요?
담임교사:	네, 좋은 생각입니다. 제 수업 시간에는 ⓑ<u>제가 반 전체를 맡고, 선생님께서는 학생 D와 E를 포함하여 4~5명의 학생을 지도해 주시면 좋겠어요.</u>
	… (중략) …
특수교사:	네, 그리고 ㉠<u>수업의 정리 단계에서 학생 D에게는 시간을 더 주고, 글보다 도식과 같은 그림으로 표현하게 하여 그 결과를 확인하는 것이 좋겠습니다.</u>

(나) 수업 지원 계획

수업 지원 교과	국어		
수업 주제	상대의 감정을 파악하며 대화하기		
학생	다중지능 유형	학생 특성을 반영한 활동 계획	협력교수 모형
D	(㉡)	상대의 감정을 시각화하여 창의적으로 표현하기	(㉢)
E	신체운동 지능	상대의 감정을 신체로 표현하기	

〈작성 방법〉

• (가)의 밑줄 친 ⓐ를 참고하여 (나)의 괄호 안의 ㉡에 해당하는 내용을 가드너(H. Gardner)의 다중지능이론에 근거하여 쓸 것

58 2021 유아A-1

다음은 유아특수교사 최 교사가 통합학급 김 교사와 나눈 대화의 일부이다. 물음에 답하시오.

최 교사: 오늘 활동은 어땠어요?
김 교사: 발달지체 유아 나은이가 언어발달이 늦어 활동에 잘 참여하지 못했어요.
최 교사: 동물 이름 말하기 활동은 보편적 학습 설계를 적용하여 계획하면 어떤가요?
김 교사: 네, 좋아요.
최 교사: 유아들이 동물 인형을 좋아하니까, 각자 좋아하는 동물 인형으로 놀아요. ㉠<u>나은이뿐만 아니라 유아들의 관심과 흥미를 유도할 수 있도록 유아들이 좋아하는 동물 인형을 준비하고, 유아들이 직접 골라서 놀이를 하게 하면 좋을 것 같아요.</u>
김 교사: 다른 유의 사항이 있을까요?
최 교사: 네, 모든 문제를 해결하기는 어렵겠지만 나은이가 재미있게 놀이 활동을 할 수 있게 하면 될 것 같아요. 그리고 ㉡<u>나은이의 개별화 교육목표는 선생님이 모든 일과 과정 중에 포함시켜 지도할 수 있어요.</u> 자유놀이 시간에 유아들이 동물 인형에 관심을 보이고 놀이 활동에 열중할 때 나은이에게 동물 이름을 말하게 하는 거예요. 예를 들어, "이건 뭐야?"라고 물어보고 "호랑이"라고 대답하면 잘 했다고 칭찬을 해요. 만약, 이름을 말하지 못하면 ㉢<u>"어흥"이라고 말하고</u> ㉣<u>호랑이 동작을 보여주면</u>, 호랑이라고 대답할 거예요.

1) 2018년에 '응용특수교육공학센터(CAST)'에서 제시한 보편적 학습 설계의 원리 중 ㉠에 해당하는 원리를 쓰시오.

59 2021 초등A-6

다음은 도덕과 5학년 '밝고 건전한 사이버 생활' 단원 수업을 준비하는 통합학급 교사를 지원하기 위해 특수교사가 작성한 노트의 일부이다. 물음에 답하시오.

가. 통합학급 수업 전 특수학급에서의 사전학습
○ 소희의 특성
- 읽기 능력이 지적 수준이나 구어 발달 수준에 비해 현저히 낮음
- 인터넷을 즐겨 사용함
- 자신의 경험을 이야기 하는 것을 좋아함

○ 필요성: 도덕과의 인지적 요소를 학습하기 위해 별도의 읽기 학습이 요구됨
○ 제재 학습을 위한 읽기 지도
 - 제재: 사이버 예절, 함께 지켜요
 - 지도방법: ㉠<u>언어경험접근</u>

나. 소희를 위한 교수·학습 환경 분석에 따른 지원 내용 선정

분석 결과	지원 내용
• 사이버 예절 알기 자료를 인쇄물 또는 음성자료로만 제공 • 서책형 자료로만 제공	• 디지털 교과서 • 동영상 자료 • PPT 자료 • 요약본 [A]

다. 2015 개정 도덕과 교육과정 평가 방향에 근거한 평가 내용

제재: 사이버 예절, 함께 지켜요

구분	평가 기준
인지적 요소	청소년을 위한 사이버 예절을 아는가?
정의적 요소	사이버 예절 수업에 적극적으로 참여하는가?
행동적 요소	㉡

2) 응용특수교육공학센터(CAST)의 보편적 학습설계 원리 중 [A]에 적용된 원리를 1가지 쓰시오.

60
2021 초등B-1

(가)는 미나의 개별화교육지원팀 회의록이다. 물음에 답하시오.

(가) 개별화교육지원팀 회의록

일시	2020년 ○월 ○일 16:00~17:00
장소	△△학교 열린 회의실
협의 내용 요지	1. 대상 학생의 현재 장애 특성 • 대뇌피질의 손상이 원인 • 근육이 뻣뻣하고 움직임이 둔함 [A] • 양마비가 있음 • 까치발 형태의 첨족 변형과 가위 모양의 다리 • ㉠ 대근육 운동 기능 분류 시스템(Gross Motor Function Classification System : GMFCS) 4단계 • ㉡ 수동 휠체어 사용 2. 대상 학생의 교육적 요구 파악 • ㉢ 표준 키보드를 사용하여 입력하는 데 어려움이 있음 • 구어 사용을 위한 보완대체의사소통 지원 요청 3. 학기 목표, 교육 내용의 적절성 확인 및 평가 계획 안내 … (중략) … 4. 특수교육 관련서비스에 대한 협의 사항 • 교육용 보조공학기기 • 특수교육실무원 • 물리치료 • (㉣) 5. 기타 지원 정보 • 방과후 학교, 종일반 참여 여부

2) 미나의 장애 특성을 고려하여 ① ㉢을 사용하기 위해 부착하는 보조공학기기의 명칭과, ② 그 기기의 사용 장점을 1가지 쓰시오.

①:

②:

61
2021 초등B-4

(가)는 중도중복장애 학생 소영이의 의사소통 특성이고, (나)는 2015 개정 특수교육 기본 교육과정 과학과 3~4학년군에 따른 수업 계획안의 일부이다. 물음에 답하시오.

(가) 의사소통 특성

- 도구: 의사소통기기, 원 버튼 스위치
- 기법: 보완대체의사소통 선택기법
- 기능: 한 손으로 스위치 이용

(나) 수업 계획안

성취기준	㉠ 자석에 붙는 물체와 붙지 않는 물체를 구별한다.
단계	활동
자유탐색	• 자석을 여러 가지 물체에 대어보기 - 깡통, 동전, 못, 연필, 지우개, 클립
탐색결과발표	• 어떤 물체가 자석에 붙는지 선택하기 - 깡통, 못, 클립 • 어떤 물체가 자석에 붙지 않는지 선택하기 - 동전, 연필, 지우개
교사의 인도에 따른 탐색	• ㉡ 자석에 붙는 물체와 붙지 않는 물체 선택하기
탐색결과 정리	• 자석에 붙는 물체 정리하기 - 자석에 붙는 것과 붙지 않는 것

※ 유의사항
소영이가 ㉢ 유도적(역) 스캐닝 기법으로 원 버튼 스위치를 사용하도록 지도

2) ㉢의 사용 방법을 쓰시오.

62
2021 초등B-6

(가)는 2015 개정 특수교육 기본 교육과정 미술과 5~6학년군 '이미지로 말해요' 단원의 수업 활동 아이디어 노트이다. 물음에 답하시오.

(가) 수업 활동 아이디어 노트

○ 성취기준
  ㉠ 일상생활 속에 나타난 이미지를 활용하여 표현한다.

○ 수업 개요
  ㉡ 본 수업은 픽토그램 카드를 만들고, 그 결과물을 학생의 사회성 기술 교수를 위한 자료로 활용하고자 한다.

○ 픽토그램의 개념
  픽토그램은 의미하는 내용을 (㉢)(으)로 시각화하여 사전에 교육을 받지 않고도 모든 사람이 즉각적으로 이해할 수 있어야 하므로 단순하고 의미가 명료해야 한다.

○ 수업 활동

활동1	• 픽토그램에서 사용한 모양 이해하기 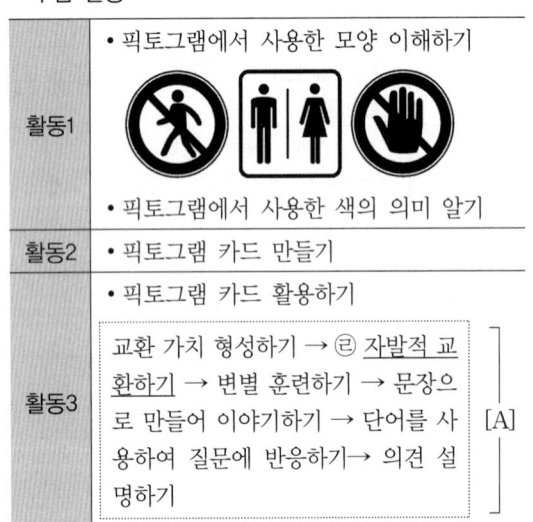 • 픽토그램에서 사용한 색의 의미 알기
활동2	• 픽토그램 카드 만들기
활동3	• 픽토그램 카드 활용하기 교환 가치 형성하기 → ㉣ 자발적 교환하기 → 변별 훈련하기 → 문장으로 만들어 이야기하기 → 단어를 사용하여 질문에 반응하기 → 의견 설명하기 [A]

1) ㉢에 들어갈 단어를 쓰시오.

63
2021 중등B-10

(가)는 미술과 수업을 위해 작성한 수업 계획의 일부이고, (나)는 컴퓨터 보조수업(Computer Assisted Instruction: CAI)의 사용자 인터페이스이다. 〈작성 방법〉에 따라 서술하시오.

(가) 수업 계획

학생특성	L	• 청지각 변별에 어려움이 있어 동영상 자료 활용 시 자막이 있어야 함 • 색 변별에 어려움이 있어 색상 단서만으로 자료 특성을 구별하기 어려움 • 낯선 장소나 상황에 적응하는 것이 어려움
	M	• 반짝이고 동적인 시각 자극에 민감하며 종종 발작 증세가 나타남 • 마우스 사용이 어려우며 모든 기능을 키보드로 조작함 • 학습한 과제의 일반화에 어려움을 보임
지도내용		• 현장체험활동 사전 교육 − 미술관 웹사이트 검색하기 − CAI를 이용하여 실제 상황과 유사하게 미술관 관람하기 … (하략) …

(나) CAI의 사용자 인터페이스

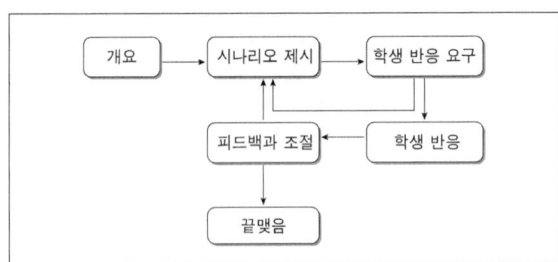

〈작성 방법〉
• (가)에서 고려해야 할 웹 접근성 지침상의 원리를 학생 L, M 특성과 관련지어 각각 1가지 쓸 것(단, '한국형 웹 콘텐츠 접근성 지침 2.1'에 근거할 것)
• (나)를 참고하여 교사가 적용한 CAI 유형의 명칭을 쓰고, 이 유형의 장점을 1가지 서술할 것

64 2022 유아B-2

(나)는 특수교육대상 유아 현우의 보완대체의사소통 (AAC) 사용 평가서의 일부이다. 물음에 답하시오.

(나)

보완대체의사소통(ACC) 사용 평가 항목	평가 결과
• 상징	그림 상징이 적합함
• 보조도구	의사소통판보다는 5개 내외의 버튼이 있는 음성출력기기가 놀이 참여 지원에 적절함
• 기법/기술	(ⓒ)
• (㉠)	사물연속성 개념이 있으며, 보드게임에 필요한 4~5개의 그림 상징을 이해할 수 있음
• 운동 능력	한 손가락으로도 버튼을 잘 누를 수 있음 ⎤
• 기타	기다리지 않고 도움 없이 버튼 누르기를 좋아함 ⎦ [C]

2) (나)에서 ① ㉠에 해당하는 평가 항목을 쓰고, ② [C]를 고려하여 ⓒ에 해당하는 것을 쓰시오.

①:

②:

65

2022 초등A-4

(가)는 학습장애 학생 은수의 특성이고, (나)는 2015 개정 국어과 교육과정 3~4학년군의 '중요한 내용을 적어요' 단원을 지도하기 위한 교수·학습 과정안의 일부이다. 물음에 답하시오.

(가) 은수의 특성

- 시력은 이상 없음
- 듣기 및 말하기에 어려움이 없음
- /북/에서 /ㅂ/를 /ㄱ/로 바꾸어 말하면 /국/이 되는 것을 알지 못함
- /장구/를 /가구/로 읽고 의미를 이해하는 데 어려움이 있음

(나) 교수·학습 과정안

성취기준	[4국어02-02] 글의 유형을 고려하여 대강의 내용을 간추린다.	
학습목표	글을 읽고 내용을 간추릴 수 있다.	
단계	교수·학습 활동	유의점
도입	• 동기 유발 및 전시 학습 상기 • 학습 목표 확인하기	

전개	• 글을 읽기 전에 미리 보기
	  – ㉠ <u>글의 제목을 보고 읽을 글에 대한 내용을 생각해 보기</u>
	    … (중략) …
	• 글을 읽고 중심 내용 파악하기
	[A] 악기는 타악기, 현악기, 관악기로 나눌 수 있어요. 타악기는 두드리거나 때려서 소리를 내는 악기로 타악기에는 장구나 큰북 등이 있으며, 현악기에는 가야금이나 바이올린 등이 있어요. 그리고 관악기는 입으로 불어서 소리를 내는 악기로 관악기에는 단소나 트럼펫 등이 있어요.
	• 글의 구조에 대해 알기
	  – 그래픽 조직자 제시하기
	[B] 주제: 악기 / 타악기, 현악기, 관악기 / 세부사항: 장구, 큰북, 가야금, 바이올린, 단소, 트럼펫
	    … (중략) …
		㉡ <u>은수에게 컴퓨터를 활용한 대체출력 보조공학 지원하기</u>

정리	• 읽기 이해 질문 만들기 – ㉢ <u>문자적(사실적) 이해 질문 만들기</u> • 요약하기	

2) (나)의 ㉡에 해당하는 것 1가지를 다음에서 찾아 기호를 쓰고, 그 이유를 쓰시오.

ⓐ 대체 키보드
ⓑ 스크린 리더
ⓒ 눈 응시 시스템
ⓓ 전자 철자 점검기
ⓔ 화면 확대 프로그램
ⓕ 자동 책장 넘김 장치

66
2022 초등B-2

다음 (가)는 초등학교 2학년 혜지의 특성이고, (나)는 혜지의 보완대체의사소통(AAC) 체계이다. 물음에 답하시오.

(가) 혜지의 특성

- 뇌성마비 학생이며, 시각적 정보 처리에 어려움이 있어 그림을 명확하게 변별하기 어려움
- 비정상적인 근긴장도로 인해 자세를 자주 바꿔 주어야 함
- ㉠ 바로 누운 자세에서 긴장성 미로반사가 나타남

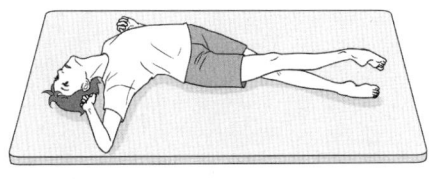

(나) 혜지의 AAC 체계

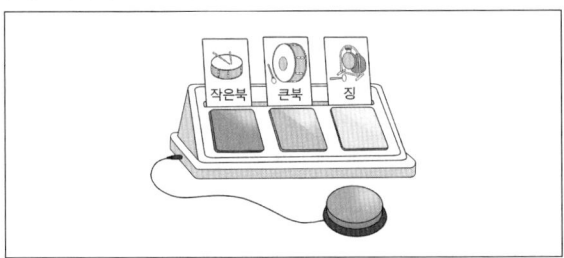

2) (나)에서 교사는 혜지가 스위치를 눌러 원하는 악기를 선택할 수 있도록 다음의 스캐닝(훑기)을 지원하였다. 교사가 어떻게 해야 하는지 ⓐ에 쓰시오.

- 교사는 음성 출력 의사소통 기기의 상징을 보며 "작은 북"이라고 말하고 잠시 기다린다.
- 혜지가 반응이 없다.
- 교사는 (ⓐ   ).

3) 다음은 혜지가 스위치를 눌러 악기를 선택할 수 있도록 지도하는 절차이다. ① 교사가 사용한 체계적 교수의 명칭을 쓰고, ② ⓑ에서 교사가 시행하는 방법을 혜지의 특성을 고려하여 구체적으로 쓰시오.

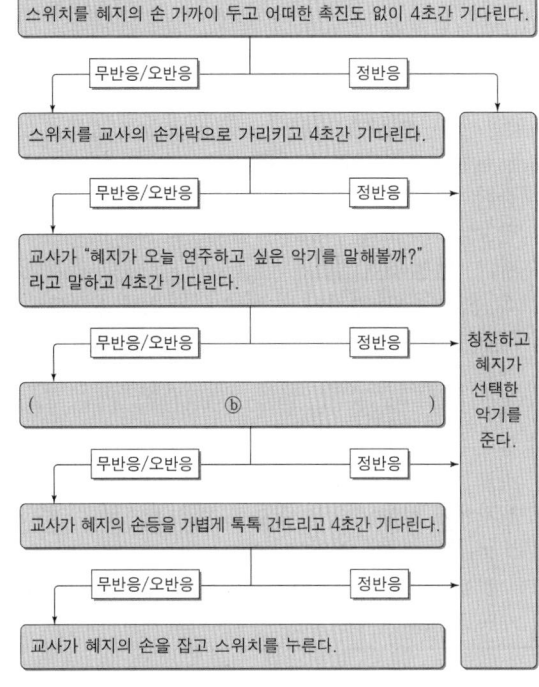

①:

②:

67　　　2022 중등B-3

(가)는 학부모가 특수 교사에게 보낸 전자우편 내용이고, (나)는 특수 교사의 답신이다. 〈작성 방법〉에 따라 서술하시오.

〈작성 방법〉
- (가)의 밑줄 친 ㉠에 해당하는 스캐닝 형태를 쓸 것
- (나)의 밑줄 친 ㉡에 해당하는 스캐닝 선택 조절 기법을 쓸 것
- (나)의 밑줄 친 ㉢의 특성에 따른 장점을 사용자 측면에서 2가지 서술할 것

(가) 학부모가 특수 교사에게 보낸 전자우편 내용

선생님, 저희 아이는 일반 키보드와 마우스를 사용하기 어려운 뇌병변장애 학생입니다. 현재 버튼형 단일 스위치로 컴퓨터 한글 입력을 연습하고 있습니다. ㉠먼저 미리 설정된 '한글 자음', '한글 모음', '문장 부호' 등 3개의 셀에서 '한글 자음' 셀을 선택하고, 그다음 여러 자음이 활성화되면 'ㄱ'을 선택하여 입력하는 방식입니다. 그런데 긴장을 많이 하여 스위치를 손으로 누르거나 뗄 때 타이밍을 놓치기 일쑤입니다. 참고로 현재 저희 아이는 머리를 떨지 않고 비교적 수월하게 10° 정도 왼쪽으로 기울일 수 있고, 휠체어에 앉아 무릎을 구부린 채로 스스로 다리를 10cm 정도 들어 올릴 수 있습니다.
　컴퓨터를 사용하고 싶은 저희 아이에게 적합한 스캐닝 방법과 스위치를 알려 주세요.

(나) 특수 교사의 답신

보내 주신 전자우편을 잘 보았습니다. 스캐닝 방법에는 여러 가지가 있습니다. 말씀하신 방법 이외에도 사용자가 스위치를 누르고 있는 동안 커서가 이동하고, 스위치에서 손을 떼면 커서가 멈춰 해당 내용을 선택하는 기법이 있습니다. 또 ㉡미리 설정한 형태로 커서가 움직이다가 사용자가 스위치를 누르거나 치면 커서가 멈춰서 해당 내용을 선택하는 기법도 있습니다.

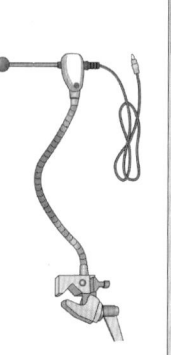

　스캐닝 방식과 학생의 신체 운동 특성을 고려할 때 첨부한 그림의 얼티메이티드 스위치(Ultimated Switch)를 사용하면 좋겠습니다.
　㉢이 스위치의 연결 막대는 유연성이 좋은 재질로 되어 있고 막대의 끝을 집게나 조임쇠로 만들었습니다.

… (하략) …

68 | 2023 유아A-8

(가)~(나)는 병설유치원 개별화교육지원팀 협의 내용의 일부이다. 물음에 답하시오.

(가)

임 교 사: 유치원에서 '내 친구는 그림으로 말해요'라는 주제로 경수가 사용하는 그림교환의사소통체계(Picture Exchange Communication System: PECS)의 사용 방법을 설명해 준 이후로 친구들도 경수가 그림으로 대화할 수 있다는 것을 알게 되었어요. 1단계에서 기차놀이를 즐기는 경수는 기차 그림카드를 교사에게 제시해야 기차를 받을 수 있다는 교환의 의미를 이해했어요. 2단계에서는 ㉠ 경수가 기차 그림카드를 찾아와 멀리 있는 제게 건네주어 기차와 교환할 수 있게 되었어요. 3단계에서는 ㉡ 좋아하는 2개의 기차 중 경수가 더 원하는 기차의 그림카드를 교사에게 건네주어 그 기차로 바꿀 수 있었어요. 4단계로, 요즘은 원하는 것을 문장으로 요청하도록 지도하고 있습니다.

민서 아버지: 그림으로 의사소통하는 방법을 체계적으로 교육해 주셔서 이제 경수는 좋아하는 것 중에서도 더 좋아하는 것을 구분할 수 있게 되었어요.

(나)

임 교 사: 민서는 보완대체의사소통(Augmentative and Alternative Communication: AAC) 기기로 자신의 요구를 표현해요. ㉢ 친구가 민서를 부르며 펭귄 인형을 가리키면 민서도 펭귄 인형을 보고 AAC 기기에서 펭귄을 찾아서 눌러요.

민서 아버지: 지도해 주셔서 감사합니다. ㉣ AAC 기기를 추천받았을 때 민서가 AAC 기기를 사용하면 아예 말을 못하고 친구들과 어울리지 못할까 봐 사용을 반대했었지요.

임 교 사: AAC 기기는 연령이나 장애 정도와 상관없이 어떤 방법으로든 의사소통할 수 있다는 가능성에 초점을 둡니다. 민서가 친구들과 긍정적으로 상호작용을 할 수 있게 되어 기쁩니다.

고 원 장: 그리고 민서에게 일관성 있는 의사소통 중재가 필요합니다.

2) ㉣은 보완대체의사소통(AAC) 참여모델의 기회 장벽 중 무엇에 해당하는지 쓰시오.

69 2023 초등B-1

다음은 원격수업 역량강화 연수 후 ○○교육청 홈페이지에 올라온 질의응답 내용이다. 물음에 답하시오.

질문 ㉠ 화면읽기 프로그램을 사용하는 시각장애 학생이 [A]를 활용하고, ㉡ 보청기를 착용해도 들을 수 없는 청각장애 학생이 [B]의 내용을 이해하기 위해서는 어떤 지원이 필요한가요?

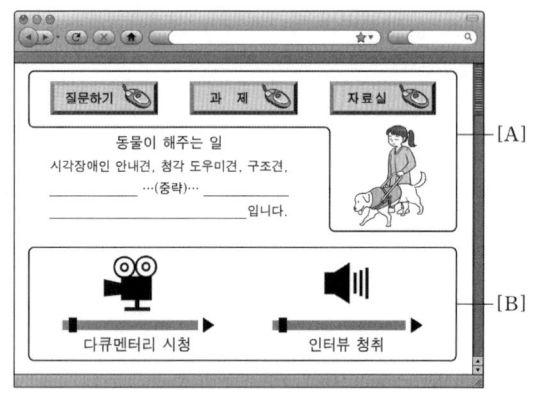

응답 접근성을 갖춘 웹 콘텐츠를 선택하고 제작하여야 합니다.

질문 한 손으로 키보드를 사용하는 학생에게 워드프로세서의 단축키를 활용하여 문서 작성하는 것을 지도하고 싶습니다. 먼저 지도해야 할 사항이 있나요?
응답 운영체제의 키보드 기능 설정 방법을 지도해야 합니다. 예를 들면, ㉢ 동시에 2개의 키를 누르기가 어려울 때 하나의 키를 미리 눌러 놓은 상태로 만들어 놓는 기능을 하는 키가 있습니다.
… (중략) …
그리고 필터 키의 장점은 ㉣ 원하는 자판을 바르게 누를 수 있게 해 준다는 것입니다.

질문 저희 반 학생은 머리제어 마우스를 사용하는데요, 표준 키보드 사용이 어려워서 부모님이 대신 로그인을 해주십니다. 혼자서 할 수 있는 방안이 있나요?
응답 소프트웨어적으로 해결하는 것이 좋을 것 같아 (㉤)을/를 제안합니다. 컴퓨터 운영체제에도 내장되어 있어 구동도 용이하고, 다른 대체 마우스와도 같이 사용할 수 있습니다.
질문 다음 학기에는 조우스와 인체 공학 키보드 활용도 계획하고 있는데요, 이 지원 계획은 어디에 포함해야 하나요?
응답 보조공학기기지원은 특수교육 관련서비스 중의 하나로서, (㉥)을/를 작성할 때 포함해야 합니다.

1) '한국형 웹 콘텐츠 접근성 지침 2.1'(개정일 2015. 3. 31.)의 '인식의 용이성'에 근거하여, 웹 콘텐츠 선택 및 제작 시 ㉠과 ㉡을 위해 필요한 준수 사항을 각각 1가지씩 쓰시오(단, '명료성' 지침은 제외할 것).

①:

②:

2) ① ㉢에 해당하는 것을 쓰고, ② ㉣을 가능하게 하는 세부 기능을 1가지 쓰시오.

①:

②:

3) ㉤에 들어갈 말을 쓰고, ② 「장애인 등에 대한 특수교육법 시행규칙」(교육부령 제269호, 2022. 6. 29., 일부개정)에 근거하여 ㉥에 들어갈 말을 쓰시오.

70   2023 중등A-7

(가)는 학생의 특성이고, (나)는 수업 지도 계획을 위한 특수 교사의 메모이다. 〈작성 방법〉에 따라 서술하시오.

(가) 학생의 특성

학생 A	• 지적장애와 저시력을 중복으로 지님 • 목표를 세워 본 경험이 부족하고, 교사나 부모의 도움을 받아 과제를 수행하려 함
학생 B	• 지적장애 학생임 • 역량이 충분히 있음에도 불구하고 ㉠ <u>반복된 실패의 경험이 누적되어 학습 동기가 낮음</u> • 자신의 상황에 맞지 않는 진로 목표를 설정함

(나) 수업 지도 계획을 위한 특수 교사의 메모

- 학생 A의 지도
  - SDLMI에서 사용할 '학생질문'의 제시 방식을 학생 A에게 맞게 제공함   ⎤
  - 시각 정보의 대안을 제공함   ⎦ [㉡]
- 학생 B의 지도
  - 학생이 성공하는 경험을 할 수 있도록 지도함

─〈작성 방법〉─
• (가)에 제시된 학생 A의 특성을 고려하여 (나)의 ㉡에 적용된 보편적 학습설계의 지침을 쓸 것[단, 응용특수공학센터(CAST, 2011)의 보편적 학습설계 가이드라인에 근거할 것]

71 2023 중등B-9

(가)는 지체장애 학생 A의 특성이고, (나)는 통합교육 활성화를 위한 보조공학기기 연수 자료의 일부이다. (다)는 통합학급 교사와 특수 교사가 나눈 대화의 일부이다. 〈작성 방법〉에 따라 서술하시오.

(가) 학생 A의 특성

- 뇌병변 장애로 양손과 양발을 사용하지 못함
- 과제 수행에 적극적임
- 구어 사용이 어려움
- 수업 참여 시 인지적 어려움이 없음

(나) 통합교육 활성화를 위한 연수 자료

통합교육 활성화를 위한 보조공학기기 연수

1. 목적: 통합학급 교사의 보조공학기기 활용
2. 내용
   ○ (㉠) 체계: 개인의 의사소통에 사용되는 상징, 보조도구, 전략, 기법 등을 총체적으로 통합한 의사소통체계
   － 상징: (㉡)
     • 일상생활에서 볼 수 있음
     • 전경과 배경 구분의 어려움을 줄이기 위해 고안된 흑백 상징
     • 상징 사용의 예

   － 보조도구

… (하략) …

(다) 통합학급 교사와 특수 교사의 대화

통합학급 교사: 선생님, 보조공학기기 활용에 대한 연수를 듣고, 우리 반의 학생 A에게 보조공학기기가 필요하다는 걸 알게 되었어요. 하지만 어떻게 접근해야 할지 막막합니다.

특 수 교 사: 보조공학기기를 선택하고 활용하기 이전에 학생의 잔존 능력은 무엇인지, 어떠한 지원이 필요한지 먼저 확인하는 과정이 필요해요.

통합학급 교사: 그럼 어떻게 해야 할까요?

특 수 교 사: 인간활동보조공학(HAAT) 모형을 통해 사정해 볼 수 있어요. HAAT 모형은 공학적 지원을 통해 학생의 활동 참여 증진에 주안점을 두고 있습니다.

통합학급 교사: 그럼, 다음 주에 ㉢ '편지 쓰기'를 하는데, 학생 A에게 HAAT 모형을 적용할 수 있을까요?

… (중략) …

특 수 교 사: 이러한 과정을 통해서 학생 A의 기능을 평가하여 선택한 보조공학기기는 ㉣ 헤드마우스입니다.

〈작성 방법〉

- (나)의 괄호 안의 ㉠과 ㉡에 해당하는 용어를 순서대로 쓸 것
- (다)의 밑줄 친 ㉢과 ㉣을 포함하여 학생 A가 달성해야 할 목표를 서술할 것(단, HAAT 모형의 4가지 요소를 모두 제시할 것)

72 | 2024 초등A-2

다음은 특수교육지원센터의 질의응답 게시판에 올라온 보조공학 기기와 관련된 글의 일부이다. 물음에 답하시오.

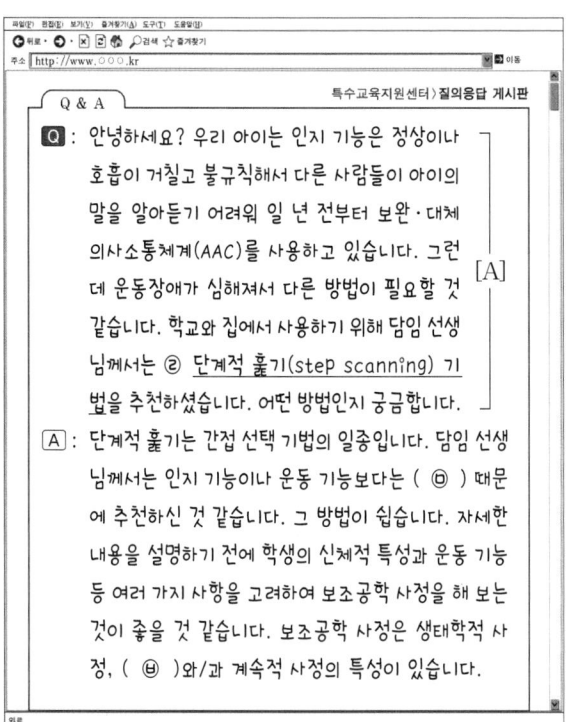

2) ⓑ에 들어갈 ⓔ의 사용자 특성을 1가지 쓰시오.

3) ① ⓗ에 들어갈 보조공학 사정의 일반적 특성(D. Bryant & B. Bryant, 2003)을 쓰고, ② 자바라(J. Zabala)의 SETT 구조 모델에 근거하여 [A]에 추가로 고려해야 할 구성 요소를 쓰시오.

①:

②:

73　　　2024 중등A-7

(가)는 지체장애 학생 A와 B의 특성이고, (나)는 교육 실습생과 특수 교사의 대화 중 일부이다. 〈작성 방법〉에 따라 서술하시오.

(가) 학생 A와 B의 특성

학생 A	• 경직형 뇌성마비, 목 조절이 어려움 • GMFCS 5단계
학생 B	• 경직형 뇌성마비, 비대칭성 긴장성 경반사 • GMFCS 5단계

(나) 교육 실습생과 특수 교사의 대화

교육 실습생: 선생님, 오늘 ○○수업 참관 시간에 학생 A를 만났는데, 눈이 마주치니 학생 A가 저를 보고 웃었어요. 저도 학생 A와 의사소통을 하고 싶은데 방법이 없었어요. 어떤 기기를 사용할 수 있을까요?

특수 교사: 학생 A가 비교적 자유롭게 움직일 수 있는 신체 부분이 눈입니다. 그러면 학생 A의 눈동자의 움직임을 이용하는 기기를 사용할 수 있습니다. 기기에 있는 작은 카메라로 눈동자의 움직임을 찍고 그 방향을 읽어 AAC 기기의 마우스 포인터를 ㉠움직이는 겁니다. 선택은 시선이 일정 시간 머물거나 눈을 깜빡이는 동작으로 합니다. 컴퓨터와 연결하면 눈동자의 움직임으로 컴퓨터도 사용할 수 있어요.

교육 실습생: 선생님, 학생 B가 직접 선택 방법으로 태블릿PC의 의사소통 애플리케이션을 사용할 수 있도록 지도하고 싶은데, 어떤 방법이 좋을까요?

특수 교사: 직접 선택을 하는 데에는 다양한 전략이 있습니다. 그중에서 (㉡) 전략을 사용해 보면 어떨까요? 이 전략은 해당 프로그램이 단시간 내에 수집한 정보를 바탕으로 셀이 선택되는 데 필요한 시간을 감지해서, 유효한 시간과 무시해도 되는 시간을 찾아냅니다. 그래서 일정 시간 동안 누르고 있는 셀은 선택되지만, 잠깐 스치듯 누르는 셀은 선택되지 않습니다.

교육 실습생: 학생 B의 경우는 원시반사가 남아 있는데, 모니터의 위치는 어떻게 하면 좋을까요?

특수 교사: AAC 기기나 모니터를 ㉢몸의 정준선에 위치하도록 하는 것이 중요합니다.

〈작성 방법〉
• (나)의 ㉠의 방식을 사용하는 기기의 명칭을 쓸 것
• (나)의 괄호 안의 ㉡에 해당하는 용어를 쓸 것

74
2024 중등A-11

(가)는 지적장애 학생 A의 특성이고, (나)는 초임 교사와 수석 교사의 대화 중 일부이다. 〈작성 방법〉에 따라 서술하시오.

(가) 학생 A의 특성

- 잘 웃고 인사성이 좋음
- 혼자 있는 것보다 사람에게 먼저 다가가 말하는 것을 좋아함
- 다른 사람의 감정과 태도를 잘 알아차리며, 상호작용을 잘하는 편임

(나) 초임 교사와 수석 교사의 대화

초임 교사: 선생님, 전공과 바리스타 수업 시간에 실습을 하는데, 학생 A에게는 여러 역할 중에서 에스프레소를 추출하는 연습을 시켰어요. 그런데 반복적으로 추출하는 일을 지루해합니다. 학생 A에게 더 적합한 역할이 뭘까요?

수석 교사: ㉠ 학생 A의 강점을 고려하여 전환 계획을 수립하는 것이 중요해요. 학생 A에게 주문을 받고 계산하는 역할을 맡겨 보면 어떨까요?

초임 교사: 네, 좋은 생각입니다. 학생 A는 친화력이 좋아서 잘할 거예요. 그런데 전환평가는 어떻게 하면 좋을까요?

수석 교사: 전환 계획을 세울 때는 다양한 측면에서 평가를 해야 합니다.

…

초임 교사: 바리스타 수업 시간에 카페 관련 직무를 연습하고 나면, 어느 카페에 취업을 하더라도 잘 해낼 수 있겠네요!

수석 교사: 꼭 그렇게만 볼 수는 없습니다. 일반화가 쉽게 이루어지는 것은 아니니까요. 지적장애 학생의 교육과정을 구성하고 운영할 때에는 (㉡)을/를 전제로 가르쳐야 합니다.

〈작성 방법〉

- (나)의 밑줄 친 ㉠에 해당하는 지능의 유형을 쓸 것 [단, (가)의 학생 특성과 가드너(H. Gardner)의 다중지능이론에 근거하여 쓸 것]

75
2024 중등B-4

(가)는 학생 A와 B의 특성이고, (나)는 특수학교 교사 A와 B의 대화이다. 〈작성 방법〉에 따라 서술하시오.

(가) 학생 A와 B의 특성

학생 A	· 듀센형 근이영양증 · 척주(척추)만곡이 나타남 · 첨족보행을 하며 균형 감각이 불안하여 자주 넘어짐 · 착석 시스템 적용 전동 휠체어를 사용함
학생 B	· 경직형 뇌성마비 · 고정형 팔걸이의 수동 휠체어를 사용함

(나) 특수 교사 A와 B의 대화

특수 교사 A: 전동 휠체어를 어떻게 움직이나요?

특수 교사 B: 전동 휠체어를 움직이는 데에는 다양한 방식을 적용할 수 있습니다. 예를 들어 조이스틱, 스위치 등을 사용합니다. 몸의 다양한 부분에 스위치를 적용할 수 있는데, 호흡으로 작동하는 (㉠)(이)나 혀로 작동하는 스위치도 있습니다.

특수 교사 A: 그러면 학생 A의 전동 휠체어는 어떤 방식으로 작동하나요?

특수 교사 B: 학생 A의 경우에는 손을 일정하게 움직일 수 있기 때문에 비례적 조이스틱을 사용하면 됩니다. 가고 싶은 방향으로 비례적 조이스틱을 움직이면 그 방향으로 휠체어가 움직입니다.

〈작성 방법〉

- (나)의 괄호 안의 ㉠에 해당하는 스위치의 유형을 쓸 것

76 2024 중등B-8

(가)는 중복장애 학생 A에 대한 담임 교사와 수석 교사의 대화이다. 〈작성 방법〉에 따라 서술하시오.

(가) 담임 교사와 수석 교사의 대화

담임 교사: 학생 A는 지체장애와 자폐성장애를 같이 가지고 있는데, 낮은 촉각 역치를 보입니다. 학생 A에게 손 씻기를 지도하는데 어떤 방법으로 지도할까요?

수석 교사: 다양한 방법으로 지도할 수 있습니다. ㉠ 세면대 거울에 손 씻는 단계 그림을 붙여서 학생 A에게 손 씻기를 지도할 수 있고, ㉡ 손을 씻어야 한다는 의미로 선생님이 손으로 수도꼭지를 살짝 건드려서 학생 A에게 손 씻기를 알려 줘도 됩니다. 그리고 다른 방법으로는 ㉢ 학생 A가 손을 씻을 수 있도록 손목을 잡아 줄 수 있으며, ㉣ 선생님이 손을 씻는 모습을 학생 A에게 보여 주고 학생 A가 이를 모방하도록 할 수도 있습니다.

담임 교사: 잘 알겠습니다. 그러면 학생 A에게 학급 규칙을 어떻게 지도해야 할까요?

수석 교사: 학생 A는 규칙을 언어적으로 이해하는 데 어려움이 있으니, 학생이 지켜야 할 학급 규칙을 그림으로 제시하는 (㉤)의 방법으로 지도해 보세요. 이것은 교사가 학생에게 기대하는 행동에 대한 구체적인 목표가 있을 때 효과적인 방법입니다.

담임 교사: 그렇게 하면 학생 A에게 다른 규칙도 지도할 수 있겠네요.

수석 교사: 네, 학생의 수준에 맞는 다양한 그림이나 상징으로 지도할 수 있어요.

담임 교사: 그러면 어떤 기준으로 그림이나 상징을 선택하면 좋을까요?

수석 교사: 학생의 수준에 맞게 ㉥ 그림이나 상징을 보고 그것이 나타내는 것이 무엇인지 알 수 있는 정도를 고려해서 선택하면 좋겠어요.

〈보기〉
• (가)의 밑줄 친 ㉥에 해당하는 용어를 쓸 것

77 2024 중등B-9

다음은 지적장애 학생 A와 B를 지도하는 특수 교사와 통합학급 교사의 대화이다. 〈작성 방법〉에 따라 서술하시오.

통합학급 교사: 사회 수업 시간에 우리나라의 세계 자연 유산과 매력적인 자연 경관에 대해 조사하는 것을 목표로 자료 수집 활동을 하는데, 학생 A는 의사소통이 쉽지 않아 수업 참여를 잘 하지 못합니다. 학급의 전체 학생이 동일한 목표로 같은 활동에 참여하면 좋겠는데, 학생 A는 어려움이 많네요.

… (중략) …

통합학급 교사: 네, 그럴 수 있겠군요. 그런데 우리 반에 학생 A뿐만 아니라 학생 B도 있어요. 학생 B는 소극적이고 사람들 앞에서 말하는 것을 힘들어해요. 선생님께서 얼마 전 협동 학습 연수를 받으셔서 여쭙고 싶습니다. 세계 자연 유산을 조사하는 시간에 학생 B가 참여할 수 있는 협동 학습 방법이 있을까요?

특 수 교 사: 네, 호기심과 흥미를 가지고 적극적으로 참여할 수 있는 협동 학습이 있어요.

… (중략) …

통합학급 교사: 그러면 평가는 어떻게 하나요?

특 수 교 사: 평가는 교사가 학생들의 소주제에 대한 학습 기여도를 평가하고, 학생들은 모둠 내 기여도 평가와 전체 동료에 의한 모둠 보고서 평가를 할 수 있습니다.

통합학급 교사: 학생 B가 적극적으로 참여하여 발표할 수 있도록 하는 방법이 있을까요?

특 수 교 사: ㉢ 학생 B가 사진이나 그림, 영상 등을 가지고 전체 학생 앞에서 발표를 하거나 결과물을 제시할 수 있도록 지원하면 좋을 것 같습니다.

〈작성 방법〉
• 밑줄 친 ㉢에 해당하는 보편적 학습 설계의 원리를 1가지 쓸 것[단, 응용특수공학센터(CAST, 2011)의 보편적 학습 설계 가이드라인에 근거할 것]

78   2025 유아A-6

(나)는 유아 특수교사 김 교사와 유아교사 유 교사의 대화이다. 물음에 답하시오.

(나)

유 교사: 선생님, 오늘 박 터트리기 활동 너무 재밌었죠? 그런데 박이 잘 안 터지던데 다음에는 어떻게 하면 좋을까요?
김 교사: ⓒ 약한 힘으로도 잘 터질 수 있도록 박에 틈을 내주면 되겠네요.
유 교사: 좋은 생각이에요.
김 교사: 그런데 오늘 ㉢ 아이들이 민우가 AAC 기기를 사용하지 않을 때는 꺼 두어도 된다고 말하면서 자꾸 끄더라고요. 민우랑 이야기하려면 늘 켜 둬야 하는 것을 몰라서 그러는 것 같아요.
유 교사: 그렇군요. 지난번에 급식실에 갈 때 저도 AAC 기기를 깜빡하고 두고 갔어요. 아무래도 다함께 AAC 기기 사용 규칙을 만들어 보아야겠어요.

… (하략) …

2) (나)에서 ① 밑줄 친 ㉢은 보완대체의사소통(AAC) 참여모델의 기회 장벽 중 무엇에 해당하는지 쓰고, ② 이를 최소화하기 위한 방안 1가지를 쓰시오.

①:

②:

79   2025 초등B-6

(나)는 학교 밖 교사학습공동체 협의회에 참여한 교사들 간 대화의 일부이다. 물음에 답하시오.

(나)

유 교사: 저희 반에 자폐성장애와 지적장애를 가진 학생이 있는데, 교실 환경을 다시 구조화해 보고 싶어요. 어떻게 하면 좋을까요?
김 교사: 만약 그 학생이 인지 능력이 낮은 경우에는 그림 의사소통상징(Picture Communication Symbol : PCS)과 같이 ㉢ 도상성이 높은 상징을 활용하는 것이 좋아요. 환경을 구조화할 때는 일반적으로 ㉣ 카펫이나 테이프로 영역을 구분해 주는 것이 필요합니다.

… (하략) …

3) (나)의 밑줄 친 ㉢의 이유를 1가지 쓰시오.

80 | 2025 중등A-2

다음은 ○○ 중학교 특수 교사와 교육 실습생이 나눈 대화이다. 밑줄 친 ㉠은 어떤 측면에서 보조공학 기기를 구분하고 있는지 [A]를 참고하여 쓰고, 밑줄 친 ㉡은 보완 대체 의사소통(Augmentative and Alternative Communication : AAC)의 구성 요소 중 무엇에 해당하는지 쓰시오.

교육 실습생: 선생님께서 오늘 진행하신 수업을 통해 학생의 학습 참여를 증진시키기 위해서는 학생에게 적합한 보조공학 기기를 선택하고 적용하는 것이 정말 중요하다는 것을 깨달았어요.

특 수 교 사: 그러셨군요. 학생을 위한 보조공학 기기를 선택하여 적용할 때에는 ㉠ 보조공학의 연속적 구성에 대해 살펴보는 것도 도움이 돼요. 하이테크 기기가 로우테크 기기보다 항상 좋은 것은 아니에요. 예를 들어, 음성 [A] 인식이 출력되는 의사소통판을 사용하는 것이 필요한 학생도 있지만, 그림으로 구성한 간단한 의사소통판을 사용하는 것이 더 효율적인 학생도 있거든요.

교육 실습생: 알겠습니다. 그런데 친구들이 의사소통판을 사용하는 학생과 원활하게 대화하며 상호작용할 수 있도록 지도하려면 어떻게 해야 할까요?

특 수 교 사: 학생들에게 ㉡ 의사소통판을 사용하는 친구의 대화 상대자로서 어떻게 반응하고 역할해야 하는지 가르치는 게 필요해요.

… (하략) …

81 | 2025 중등B-6

(가)는 ○○중학교 지체장애 학생 A와 B의 특성이고, (나)는 특수 교사가 작성한 학생별 지도 계획이다. 〈작성 방법〉에 따라 서술하시오.

(가) 학생 특성

구분	특성
학생 A	• 경직형 뇌성마비 • 대근육 운동 기능 분류체계(GMFCS) 4단계 • 운동 조절 능력이 부족함
학생 B	• 불수의 운동형 뇌성마비 • 대근육 운동 기능 분류체계(GMFCS) 5단계 • 머리와 몸통 조절에 어려움이 있음 • 키보드의 키를 누르면 손을 떼기가 어려움 • ㉠ 누운 자세에서는 신전근의 긴장이 증가하고, 엎드린 자세에서는 굴곡근의 긴장이 증가함

(나) 학생별 지도 계획

구분	지도 계획
학생 A	• ㉡ 키보드 사용 시 동시에 2개 이상의 키를 누르기가 어려워, 하나의 키를 미리 눌러 놓은 상태로 만들어 놓는 기능키 설정 방법 지도 • 신체의 양측을 사용하도록 지도
학생 B	• ㉢ 타이핑 시 의도하지 않게 키보드의 키가 오래 동안 눌렸을 때, 일정 시간이 지나기 전에는 반복해서 누른 키를 수용하지 않도록 만들어 놓는 기능키 설정 방법 지도 • ㉣ 일과 중에 자세를 자주 바꿔 주거나 피부 청결 및 건조 상태 유지 시켜주기

〈 작성 방법 〉
• (나)의 밑줄 친 ㉡과 ㉢의 명칭을 순서대로 쓸 것

MEMO

김남진
KORSET 특수교육
기출분석 ❸

KORea Special Education Teacher

PART 09

지체장애아교육

Part 09 지체장애아교육 Mind Map

Chapter 1 지체장애의 이해

① 지체장애의 개념 ─┬─ 장애인 등에 대한 특수교육법
　　　　　　　　　└─ 장애인복지법

② 지체장애의 원인 및 진단·평가 ─┬─ 지체장애의 원인
　　　　　　　　　　　　　　　└─ 지체장애의 진단·평가 : 기초학습기능검사, 시력검사

Chapter 2 운동장애의 이해

① 운동발달과 반사운동 ─┬─ 운동발달
　　　　　　　　　　 └─ 반사운동 ─┬─ 원시반사 : 모로반사
　　　　　　　　　　　　　　　　└─ 자세반사 : 정위반응, 보호반응, 평형반응

② 주요 원시반사 ─┬─ 비대칭 긴장성 경반사 ─┬─ 개념
　　　　　　　　│　　　　　　　　　　　├─ 문제점
　　　　　　　　│　　　　　　　　　　　└─ 교육적 고려사항 ─┬─ AAC 디스플레이
　　　　　　　　│　　　　　　　　　　　　　　　　　　　└─ 스위치
　　　　　　　　├─ 대칭 긴장성 경반사 ─┬─ 개념
　　　　　　　　│　　　　　　　　　　├─ 문제점
　　　　　　　　│　　　　　　　　　　└─ 교육적 고려사항 ─┬─ AAC 디스플레이
　　　　　　　　│　　　　　　　　　　　　　　　　　　└─ 스위치
　　　　　　　　└─ 긴장성 미로반사 ─┬─ 개념
　　　　　　　　　　　　　　　　　├─ 문제점
　　　　　　　　　　　　　　　　　└─ 교육적 고려사항 : 대안적 자세

Chapter 3 뇌성마비의 개념 및 분류

1 뇌성마비의 개념 및 원인 ─┬─ 뇌성마비의 개념
　　　　　　　　　　　　　　└─ 뇌성마비의 원인

2 뇌성마비의 분류 ─┬─ 마비 부위에 따른 분류
　　　　　　　　　　├─ 운동장애 유형에 따른 분류 ─┬─ 경직형 ─┬─ 원인 : 대뇌 추체로 손상
　　　　　　　　　　│　　　　　　　　　　　　　　│　　　　├─ 행동 및 자세 특징 : C자형으로 굽은 등, W자형으로 앉는 자세
　　　　　　　　　　│　　　　　　　　　　　　　　│　　　　├─ 구어 산출 특성
　　　　　　　　　　│　　　　　　　　　　　　　　│　　　　└─ 교육적 고려사항
　　　　　　　　　　│　　　　　　　　　　　　　　├─ 불수의 운동형 ─┬─ 원인 : 대뇌 기저핵 손상
　　　　　　　　　　│　　　　　　　　　　　　　　│　　　　　　　　├─ 행동 특징
　　　　　　　　　　│　　　　　　　　　　　　　　│　　　　　　　　├─ 구어 산출 특성
　　　　　　　　　　│　　　　　　　　　　　　　　│　　　　　　　　└─ 교육적 고려사항
　　　　　　　　　　│　　　　　　　　　　　　　　├─ 운동실조형 ─┬─ 원인 : 소뇌 손상
　　　　　　　　　　│　　　　　　　　　　　　　　│　　　　　　├─ 행동 특징
　　　　　　　　　　│　　　　　　　　　　　　　　│　　　　　　├─ 구어 산출 특성
　　　　　　　　　　│　　　　　　　　　　　　　　│　　　　　　└─ 교육적 고려사항
　　　　　　　　　　│　　　　　　　　　　　　　　├─ 강직형
　　　　　　　　　　│　　　　　　　　　　　　　　├─ 진전형
　　　　　　　　　　│　　　　　　　　　　　　　　└─ 혼합형
　　　　　　　　　　└─ 심각도에 따른 분류 : 대근육운동 기능 분류체계(GMFCS) ─┬─ 1단계
　　　　　　　　　　　　　　　　　　　　　　　　　　　　　　　　　　　　　　├─ 2단계
　　　　　　　　　　　　　　　　　　　　　　　　　　　　　　　　　　　　　　├─ 3단계
　　　　　　　　　　　　　　　　　　　　　　　　　　　　　　　　　　　　　　├─ 4단계
　　　　　　　　　　　　　　　　　　　　　　　　　　　　　　　　　　　　　　└─ 5단계

Chapter 4 뇌성마비 학생의 특성 및 지원

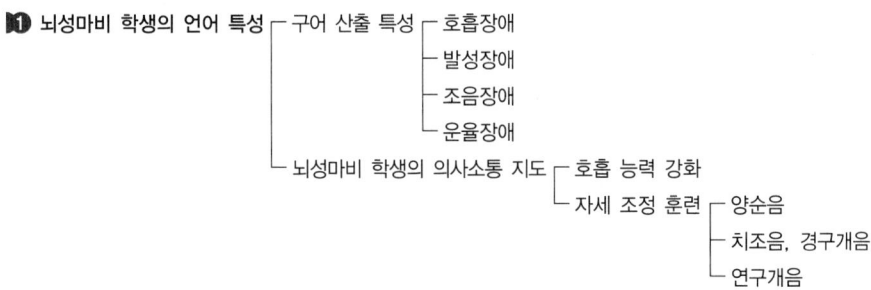

1 뇌성마비 학생의 언어 특성 ─┬─ 구어 산출 특성 ─┬─ 호흡장애
　　　　　　　　　　　　　　　│　　　　　　　　├─ 발성장애
　　　　　　　　　　　　　　　│　　　　　　　　├─ 조음장애
　　　　　　　　　　　　　　　│　　　　　　　　└─ 운율장애
　　　　　　　　　　　　　　　└─ 뇌성마비 학생의 의사소통 지도 ─┬─ 호흡 능력 강화
　　　　　　　　　　　　　　　　　　　　　　　　　　　　　　　└─ 자세 조정 훈련 ─┬─ 양순음
　　　　　　　　　　　　　　　　　　　　　　　　　　　　　　　　　　　　　　　├─ 치조음, 경구개음
　　　　　　　　　　　　　　　　　　　　　　　　　　　　　　　　　　　　　　　└─ 연구개음

2 심리·사회적 및 지각 특성 ─┬─ 심리·사회적 특성
　　　　　　　　　　　　　　　└─ 지각 특성 ─┬─ 공간위치 지각장애
　　　　　　　　　　　　　　　　　　　　　├─ 공간관계 지각장애
　　　　　　　　　　　　　　　　　　　　　├─ 시각-운동 협응장애
　　　　　　　　　　　　　　　　　　　　　├─ 항상성 지각장애
　　　　　　　　　　　　　　　　　　　　　└─ 전경-배경 지각장애

③ 신체·운동 및 생리조절 특성 ─┬─ 신체·운동 특성 ─┬─ 고관절 탈구
　　　　　　　　　　　　　　│　　　　　　　　├─ 관절 구축 : 내반족, 외반족, 첨족
　　　　　　　　　　　　　　│　　　　　　　　└─ 척추 측만증
　　　　　　　　　　　　　　└─ 생리조절 특성 : 위장 문제, 위식도 역류, 요로 감염

④ 특수교육적 지원 ─┬─ 신체적 지원
　　　　　　　　　├─ 학습 지원
　　　　　　　　　├─ 의사소통 지원
　　　　　　　　　└─ 건강 지원

Chapter 5 지체장애의 기타 유형

① 근이영양증 ─┬─ 근이영양증의 개념
　　　　　　　├─ 근이영양증의 유형 및 특성 ─┬─ 듀센형 근이영양증 ─┬─ 개념
　　　　　　　│　　　　　　　　　　　　　　│　　　　　　　　　　├─ 특성 : 가우어 징후, 가성비대, 트렌델렌버그 보행, 멀온 징후
　　　　　　　│　　　　　　　　　　　　　　│　　　　　　　　　　└─ 신체 활동 시 고려사항
　　　　　　　│　　　　　　　　　　　　　　├─ 베커형 근이영양증
　　　　　　　│　　　　　　　　　　　　　　├─ 안면 견갑상완형 근이영양증 ─┬─ 개념
　　　　　　　│　　　　　　　　　　　　　　│　　　　　　　　　　　　　　└─ 특성
　　　　　　　│　　　　　　　　　　　　　　└─ 지대형 근이영양증
　　　　　　　└─ 근이영양증 학생을 위한 지원 전략

② 이분척추 ─┬─ 이분척추의 개념
　　　　　　├─ 이분척추의 유형 및 특성 ─┬─ 잠재 이분척추
　　　　　　│　　　　　　　　　　　　　├─ 수막류
　　　　　　│　　　　　　　　　　　　　└─ 척수 수막류 : 뇌수종, 션트 삽입 수술
　　　　　　└─ 이분척추 학생을 위한 지도 전략

③ 척수손상 ─┬─ 척수손상의 개념
　　　　　　├─ 척수손상의 원인 및 영향 ─┬─ 원인
　　　　　　│　　　　　　　　　　　　　└─ 영향 : 욕창 ─┬─ 발생 원인
　　　　　　│　　　　　　　　　　　　　　　　　　　　└─ 예방
　　　　　　└─ 척수손상 학생을 위한 특수교육적 지원

④ 뇌전증 ─┬─ 뇌전증의 개념
　　　　　├─ 뇌전증의 유형 및 특성 ─┬─ 부분발작 ─┬─ 단순부분발작
　　　　　│　　　　　　　　　　　　│　　　　　　├─ 복합부분발작
　　　　　│　　　　　　　　　　　　│　　　　　　└─ 부분발작에서 기인하는 이차성 전신발작
　　　　　│　　　　　　　　　　　　└─ 전신발작 ─┬─ 전신 긴장성-간대성 발작
　　　　　│　　　　　　　　　　　　　　　　　　├─ 부재발작
　　　　　│　　　　　　　　　　　　　　　　　　├─ 간대성근경련발작
　　　　　│　　　　　　　　　　　　　　　　　　└─ 무긴장발작
　　　　　├─ 발작 시 대처 방안 : 전신 긴장성-간대성 발작에 대한 응급처치 ─┬─ 발작 중
　　　　　│　　　　　　　　　　　　　　　　　　　　　　　　　　　　　　　└─ 발작 후
　　　　　└─ 뇌전증 학생을 위한 특수교육적 지원 ─┬─ 약물치료
　　　　　　　　　　　　　　　　　　　　　　　　　├─ 케톤 생성 식이요법
　　　　　　　　　　　　　　　　　　　　　　　　　└─ 수술적 치료

5 골형성 부전증 ─┬─ 골형성 부전증의 개념
　　　　　　　　└─ 골형성 부전증 학생을 위한 특수교육적 지원

6 외상성 뇌손상 ─┬─ 외상성 뇌손상의 개념
　　　　　　　　└─ 외상성 뇌손상 학생을 위한 지도 전략

7 척추 측만증 ─┬─ 척추 측만증의 개념
　　　　　　　├─ 척추 측만증의 유형 및 특성 ─┬─ 비구조적 척추 측만증
　　　　　　　│　　　　　　　　　　　　　└─ 구조적 척추 측만증 ─┬─ 특발성 척추 측만증
　　　　　　　│　　　　　　　　　　　　　　　　　　　　　├─ 선천성 척추 측만증
　　　　　　　│　　　　　　　　　　　　　　　　　　　　　├─ 신경근성 척추 측만증
　　　　　　　│　　　　　　　　　　　　　　　　　　　　　└─ 기타
　　　　　　　└─ 척추 측만증의 치료

Chapter 6 운동 지도

1 지체장애 학생의 운동 지도 ─┬─ 운동 지도의 기본 원리 ─┬─ 의미 있고 목표 지향적인 활동
　　　　　　　　　　　　　│　　　　　　　　　　├─ 반복 연습과 문제 해결
　　　　　　　　　　　　　│　　　　　　　　　　└─ 의미 있는 맥락, 교육 활동 내에서의 연습
　　　　　　　　　　　　　└─ 운동 지도 방법 ─┬─ MOVE
　　　　　　　　　　　　　　　　　　　　├─ 감각통합 훈련 : 촉각, 전정감각, 고유 수용성 감각
　　　　　　　　　　　　　　　　　　　　├─ 신경발달치료법 : 핵심 조절점
　　　　　　　　　　　　　　　　　　　　├─ 보이타 치료법
　　　　　　　　　　　　　　　　　　　　└─ 통합된 치료

2 들어올리기와 이동시키기 지도 ─┬─ 들어올리기와 이동시키기의 단계 및 전략
　　　　　　　　　　　　　　├─ 들어올리기(들어 옮기기) 방법
　　　　　　　　　　　　　　└─ 자리이동 방법 ─┬─ 자리이동 시 고려사항
　　　　　　　　　　　　　　　　　　　　├─ 휠체어에서의 자리이동 ─┬─ 1인이 자리이동 시킬 때
　　　　　　　　　　　　　　　　　　　　│　　　　　　　　　　└─ 2인이 자리이동 시킬 때
　　　　　　　　　　　　　　　　　　　　└─ 바닥에서 휠체어로의 이동

Chapter 7 자세, 보행 및 이동 지도

① 자세의 이해
- 자세의 개념
- 자세 지도의 목적
- 자세 지도의 원칙
- 자세 지도를 위한 보조공학기기의 사용

② 앉기 자세 지도
- 신체 부위별 앉기 자세 지도 전략
  - 골반
  - 하지 : 내전대, 외전대
  - 몸통 : 가슴벨트, 어깨벨트
  - 머리 : 머리 지지대, 어깨 지지대
- 앉기 자세 보조공학기기 : 피더시트, 학습용 의자, 맞춤형 착석 시스템, 코너 체어
- 대안적 자세

③ 눕기 자세 지도
- 눕기 자세 특성 및 지도 방법
- 눕기 자세 보조공학기기 : 자세교정용 쿠션, 삼각보조대

④ 서기 자세 지도
- 서기 자세 특성
- 서기 자세 보조공학기기 : 프론 스탠더, 수파인 스탠더, 스탠딩 테이블

⑤ 보행 및 이동 지도
- 이동
- 보행 및 이동을 위한 보조공학기기
  - 휠체어
    - 일반 수동 휠체어 : 휠체어의 구성
    - 전동 휠체어
      - 제어 방식 : 비례 제어, 비비례 제어
      - 작동 방법 : 조이스틱, 스위치, 음성 작동 제어장치
  - 지팡이와 크러치(목발)
  - 워커 : 전방지지형, 후방지지형
  - 게이트 트레이너
  - 보장구
    - 브레이스 : 단하지 보조기, 장하지 보조기
    - 스플린트
    - 석고붕대

Chapter 8 일상생활 기술 지도

- **1 섭식 기술**
  - 섭식기능
  - 지체장애 학생의 식사 기술의 어려움
    - 근긴장도의 이상
    - 비정상적인 반사: 설근반사, 강직성 씹기반사, 혀 내밀기/혀 돌출행동, 빨고 삼키는 행동, 비대칭 긴장성 경반사
    - 구강 구조의 이상과 그에 따른 문제
    - 식사행동에 대한 학습 문제
  - 식사 기술 중재 방법
    - 식사 기술 중재를 위해 고려할 사항
    - 자세의 교정
    - 음식 수정
      - 퓨레형 음식
      - 위식도 역류를 보이는 학생
    - 식사 방법 및 도구의 수정
      - 컵
      - 빨대
      - 숟가락
    - 식사시간 및 환경 수정
    - 신체적 보조 방법
      - 신체적 보조 제공 위치
      - 음식을 놓아주는 위치
    - 튜브를 통한 음식물 섭취
    - 구강운동
    - 턱의 훈련
    - 흡인의 예방과 처치: 하임리히 구명법

- **2 착탈의 기술**
  - 착탈의 기술의 발달과 평가
  - 착탈의 중재 방법
  - 지체장애 유형별 옷 입기
    - 편마비
      - 상의
        - 앞이 트인 셔츠
        - 머리부터 입는 셔츠
      - 하의
    - 뇌성마비
    - 근이영양증

- **3 용변 기술**
  - 용변 기술의 발달과 평가
    - 발달
    - 평가
      - 준비도 평가: 생활연령, 건조시간, 안정된 배설 패턴
      - 배설 패턴 평가
      - 배변 관련 기술의 평가
  - 용변 기술 중재 방법
    - 자세의 교정
    - 용변 기술 지도 단계
      1. 습관 만들기
      2. 스스로 화장실 사용 시도하기
      3. 독립적으로 화장실 사용하기
    - 관련 기술의 지도
    - 일반화와 유지를 위한 훈련

- **4 기타 일상생활 기술 지도**
  - 몸단장 및 개인위생
  - 치아 관리
  - 영양 관리

Chapter 9 교수·학습

1 일반교육과정 참여를 위한 방법
- 쓰기 유창성을 향상시키는 소프트웨어
  - 단어 예측 프로그램
    - 작동 원리
    - 장점
  - 단어 축약 프로그램
- 평가 방법의 수정
- 평가 조정
  - 개념
  - 방법

2 중도·중복장애 학생 교육
- 중도·중복장애에 대한 이해
  - 중도중복장애
  - 시청각장애
- 중도·중복장애 학생을 위한 효과적인 교수 전략
  - 삽입교수
  - 시각적 지원: 시각적 시간표, 행동 규칙 스크립트, 상황이야기
  - 비디오 모델링
  - 부분 참여의 원리
- 중도장애 학생의 의사소통 기술 지도

기출문제 다잡기

정답 및 해설 p.54

01 2009 유아1-10

뇌성마비 아동 민수는 다음과 같은 호흡특성을 가지고 있다. 국어과 '말하기' 수업시간에 교사가 적용할 수 있는 지도 방법으로 적절하지 <u>않은</u> 것은?

- 역호흡을 한다.
- 호흡이 얕고 빠르다.
- 호흡이 유연하지 않다.
- 호흡주기가 불규칙하다.

① 입과 코로 부드럽게 숨을 쉬도록 지도한다.
② 날숨과 발성의 지속시간을 연장하도록 한다.
③ 긴장하지 않고 여유 있게 심호흡을 하도록 한다.
④ 머리, 몸통, 어깨의 움직임이 안정되도록 조절한다.
⑤ 느리게 심호흡을 하고, 날숨을 조절해서 짧게 내쉬도록 한다.

02 2009 중등1-27

지체장애학생의 음식 섭취에 관련된 특성과 학급 내에서의 일반적인 지원 방법에 관한 적절한 설명을 〈보기〉에서 모두 고른 것은?

〈보기〉
ㄱ. 구강섭식이 어려워 비강삽입관(鼻腔揷入管)을 이용하여 비전형적인 방법으로 식사를 하는 학생의 경우, 반 친구들과는 다른 장소 및 시간에 식사하는 것이 바람직하다.
ㄴ. 목에 과신전이 있는 학생의 경우, 음료를 마실 때 금속이나 유리 재질의 보통 컵 대신에 한 쪽이 둥글게 패인 플라스틱 재질의 투명한 컵을 이용하게 하여 과신전 가능성을 줄인다.
ㄷ. 신경근육계 손상으로 혀의 조절장애가 있는 학생은 연식(軟食)의 섭취가 더 어려우므로 유동식으로 제공하는 것이 좋다. 하지만 지속될 경우 변비나 치아의 문제를 야기할 수 있으므로 주의한다.
ㄹ. 구역질 반사(gag reflex)가 있으면 입안에 강한 비자발적인 자극이 있어 음식을 먹다가 사레에 들리기 쉽다. 이 반사가 과민하면 큰 조각의 음식물이나 이상한 물체를 삼키는 것을 막지 못하므로 주의한다.
ㅁ. 학생에게 음식을 먹여 줄 때, 음식을 주는 사람은 학생의 바로 앞에서 눈높이를 맞춰 앉아 식사를 보조한다. 학생이 음식을 먹을 때는 머리와 몸통의 위치, 그리고 힘이 가는 곳과 약해지는 곳을 관찰한다.

① ㄱ, ㄴ
② ㄴ, ㅁ
③ ㄷ, ㄹ
④ ㄱ, ㄷ, ㅁ
⑤ ㄴ, ㄹ, ㅁ

03   2009 중등1-28

지체장애학생에게서 나타날 수 있는 욕창과 같은 피부 문제와 이의 관리에 대한 적절한 설명을 〈보기〉에서 모두 고른 것은?

〈보기〉
ㄱ. 휠체어에 오래 앉아 있는 학생을 위해 좌석에 욕창 방지 쿠션을 깔아 준다. 체중을 분산시켜 욕창을 예방할 수 있을 뿐만 아니라 학생의 자세나 체위를 바꾸어 주지 않아도 되기 때문에 학교생활에 도움이 된다.
ㄴ. 신체 움직임이 많은 활동은 근육의 크기를 고르게 유지시키지 않고 피부 표면의 마찰이 커져 욕창 발생 가능성을 높인다. 따라서 경련성 운동마비장애 학생은 신체 활동 시 경련성 동작에 따른 마찰력 증가를 주의하여, 되도록 신체 움직임이 적은 활동을 하도록 한다.
ㄷ. 같은 압력이나 마찰력이라도 학생마다 물리적 자극에 대한 저항력의 차이가 있으므로 욕창 발생여부가 달라질 수 있다. 저단백질증, 빈혈, 비타민 부족 등의 불량한 영양 상태는 신체조직의 저항력을 낮춰 욕창 발생을 높이므로 적당한 영양섭취와 수분의 공급이 필요하다.
ㄹ. 변실금(便失禁)은 대변에 포함된 박테리아와 독소가 피부에 묻어 피부가 벗겨질 수 있어 요실금(尿失禁)보다 욕창에 더 중요한 위험 요인이다. 실금으로 인해 기저귀를 착용하는 학생은 기저귀를 자주 점검하고 오염된 부위를 씻어 주어 청결하게 유지하는 것이 필요하다.
ㅁ. 외부의 압력이 신체에 지속적으로 작용하는 것이 욕창 발생의 핵심적인 원인이다. 중복·지체장애학생들은 이로 인한 통증이나 피부에 문제가 생겨도 이를 표현하는 데 어려움을 가질 수 있으므로 구어적 형태가 아니더라도 몸짓과 같은 신호를 개발하는 것을 의사소통 지도목표에 포함할 필요가 있다.

① ㄱ, ㄴ   ② ㄴ, ㅁ
③ ㄷ, ㅁ   ④ ㄱ, ㄷ, ㄹ
⑤ ㄷ, ㄹ, ㅁ

04   2009 중등1-33

그림과 같이 하지의 내전 구축으로 '가위' 형태의 자세를 보이기도 하며, 걸을 수 있는 경우 첨족(equinus) 보행을 특징으로 하는 뇌성마비의 생리적 분류 유형에 대한 설명으로 가장 적절한 것은?

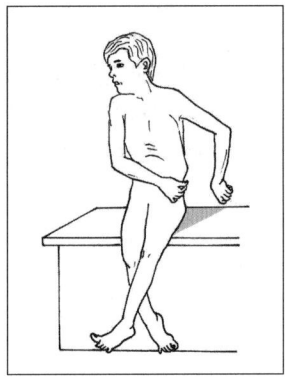

① 근 긴장도가 낮아 몸통과 사지를 반복적으로 일정하게 비틀거나 운동의 중복성이 있다.
② 과잉동작이나 불수의적 운동은 거의 없지만 근육 신축성이 없어 운동 저항이 강하고 지능도 낮다.
③ 뇌막염과 같은 출생 후 질병으로 인해 추체외로가 손상되어 경련성 근 긴장과 불수의적 운동이 모두 나타난다.
④ 운동피질의 손상으로 신전과 굴곡의 원시적 집단반사가 보여 자동운동이 어렵고 제어하기 어려운 간헐적인 경련이 있다.
⑤ 소뇌 기저핵 손상이 광범위하여 바빈스키 양성 반응이 1세 이후에도 지속되며 평형감각이 낮아 자세 불안정과 눈과 손발의 불협응이 보인다.

05   2009 중등1-36

척수 손상으로 사지마비가 된 지체장애학생 A는 현재 수의적인 머리 움직임과 눈동자 움직임만 가능하며, 듣기와 인지 능력 및 시력은 정상이나 말은 할 수 없다. A가 사용하기에 적합한 보조공학기기를 〈보기〉에서 고른 것은?

─〈보기〉─
ㄱ. 헤드포인터(head pointer)
ㄴ. 음성합성장치(speech synthesizer)
ㄷ. 의사소통판(communication board)
ㄹ. 전자지시기기(electronic pointing devices)
ㅁ. 음성인식장치(speech recognition devices)
ㅂ. 폐쇄 회로 텔레비전(CCTV : closed-circuit television)
ㅅ. 광학 문자 인식기(optical character recognition devices)

① ㄱ, ㄴ, ㄷ, ㄹ   ② ㄱ, ㄴ, ㄹ, ㅁ
③ ㄱ, ㄷ, ㅂ, ㅅ   ④ ㄴ, ㄹ, ㅁ, ㅅ
⑤ ㄷ, ㄹ, ㅁ, ㅂ

06   2010 유아1-19

박 교사는 만 5세 발달지체 유아 민호에게 2008년 개정 특수학교 기본교육과정 체육과의 '기구를 이용한 다양한 움직임 익히기'를 지도하기 위해 스케이트보드를 사용하였다. 박 교사는 민호가 (가)와 같은 비행자세를 취하지 못하고 (나)와 같이 있는 것을 보고 긴장성 미로반사의 통합에 문제가 있음을 알게 되었다. 민호와 같은 문제를 가진 유아에게 나타날 수 있는 행동으로 가장 가까운 것은?

(가)   (나)

① 바로 누운 자세에서 목을 들거나 다리를 들 수 없고, 균형을 잡고 앉아 있기 어렵다.
② 바로 누운 자세에서 머리를 한 쪽으로 돌리면 몸 전체가 같은 방향으로 회전된다.
③ 바로 누운 자세에서 머리를 돌리면 돌린 쪽의 팔 다리는 펴지고 반대쪽은 구부려진다.
④ 의자에 앉은 자세에서 고개를 뒤로 젖히면 양 팔은 펴지고 다리는 구부려진다.
⑤ 네 발 기기 자세에서 머리를 돌리면 돌린 방향의 반대편 팔꿈치가 구부려진다.

07
2010 유아2B-4

통합유치원에 다니는 동호는 만 5세이며 뇌성마비로 인한 장애를 가지고 있다. (가)는 동호의 특징이며, (나)는 담임인 김 교사가 동호와 또래의 상호작용을 촉진하기 위해 작성한 활동계획안이다.

(가) 동호의 특징

- 경직형(spastic) 뇌성마비이며, 오른쪽 신체 기능이 우세하여 모든 과제를 오른손으로만 수행하는 경향이 있다.
- 일반 의자에 앉아있는 자세가 불안정하며, 비대칭 긴장성 경부반사(Asymmetrical Tonic Neck Reflex, ATNR)가 나타난다.
- 구어를 이용한 의사소통에 어려움이 있으나, 비구어적 의사소통은 가능하다.

(나) 활동계획안

활동명	나뭇잎 왕관 만들기	
학습목표	나뭇잎을 이용하여 왕관을 만들 수 있다.	
교육과정 영역	표현생활: 조형 활동으로 표현하기	
준비물	나뭇잎, 크레파스, 색연필, 색지, 풀, 테이프 등	
	활동 내용	동호를 위한 교사 지원
도입	• 바깥놀이 시간에 자신이 주워온 나뭇잎을 자유롭게 탐색한다.	• 또래들에게 자기가 주워온 나뭇잎을 동호에게 주도록 한다. • 나뭇잎을 탐색하도록 도움을 준다.
전개	• 소집단별로 의자에 앉는다. • 나뭇잎 왕관을 만들 수 있는 다양한 방법을 생각해본다. • 여러 가지 재료를 활용하여 자유롭게 만들고 꾸민다.	• 앉기 자세가 불안정한 동호를 위해 따로 활동하도록 별도의 공간을 제공한다. • 왼손의 소근육 운동 기술을 집중적으로 발달시켜야 하므로 주로 왼손을 사용하여 만들게 한다. • 동호에게 지원이 필요할 때에는 교사가 동호의 옆쪽에서 도와준다.
정리	• 각자 만든 왕관을 써본다. • 완성된 작품에 대해 함께 이야기를 나누며 감상한다.	• 또래와 함께 왕관을 써보게 한다. • 작품에 대한 또래의 이야기를 듣게 한다.

(나)에서 제시한 교사 지원 중 또래와의 상호작용 활성화에 적절하지 않은 사항 3가지를 찾고, 이에 대한 개선방안을 보조공학적 차원에서 서술하시오. 그리고 동호의 신체적 특징에 근거한 김 교사의 지도상의 오류 2가지와 각각의 개선 방안을 논하시오. (500자)

08 | 2010 초등1-8

다음은 윤 교사가 뇌성마비 학생 경수의 일상생활과 학습 장면에서 관찰한 결과이다. 문제의 주된 원인을 〈보기〉에서 고른 것은?

- 소리나 움직임에 크게 놀라는 반응을 보이며 얼굴과 팔을 함께 움직이면서 불안정한 목소리로 말한다. 이 증상은 다른 학생이 주목하는 긴장된 상황에서 더욱 심하게 일어난다.
- 쓰기 과제를 수행할 때 의도하지 않은 불필요한 동작이나 이상한 방향으로 돌발적인 동작이 일어나 알아보기 힘든 글자를 쓴다.

〈보기〉
ㄱ. 근력의 무긴장   ㄴ. 원시반사의 잔존
ㄷ. 대뇌 기저핵의 손상   ㄹ. 근 골격계의 구조 이상

① ㄱ, ㄴ
② ㄱ, ㄷ
③ ㄴ, ㄷ
④ ㄴ, ㄹ
⑤ ㄷ, ㄹ

09 | 2010 초등1-34

김 교사는 뇌손상으로 인해 지각에 여러 가지 결함을 나타내는 철수에게 2008년 개정 특수학교 기본교육과정 미술과 표현활동 영역 Ⅰ단계의 '회화: 밑그림 그리기' 활동 수업을 하였다. 그리고 김 교사는 철수가 그린 그림을 가지고, 지각력 향상을 위한 심화 활동을 하였다. 적절한 활동을 〈보기〉에서 고른 것은?

※ 원래 그림에는 색깔이 있음

〈보기〉
ㄱ. 고유수용성 지각력 향상을 위해 같은 색깔의 그림을 찾게 하였다.
ㄴ. 형태 지각력 향상을 위해 그려진 사람의 위치를 말하게 하였다.
ㄷ. 도형-배경 변별력 향상을 위해 물결선 위에 그려진 도형 그림을 찾게 하였다.
ㄹ. 눈과 손의 협응력 향상을 위해 그림에 있는 ○, □, △ 등의 모양을 손가락으로 따라 그리게 하였다.
ㅁ. 시지각 변별력 향상을 위해 ○, □, △ 등의 도형 카드를 제시하고 그림 속의 비슷한 모양을 찾게 하였다.

① ㄱ, ㄴ, ㄷ
② ㄱ, ㄴ, ㄹ
③ ㄱ, ㄷ, ㅁ
④ ㄴ, ㄹ, ㅁ
⑤ ㄷ, ㄹ, ㅁ

10

신체운동발달평가에서 비대칭 긴장성 경부반사(asymmetrical tonic neck reflex ; ATNR) 검사 결과가 양성으로 나타난 뇌성마비학생 A의 반사운동 특성 및 이에 따른 교육적 고려 사항으로 옳은 것을 〈보기〉에서 모두 고른 것은?

―〈보기〉―
ㄱ. 머리가 뒤로 젖혀지면 양팔은 펴지고(신전근의 증가) 양쪽 다리는 구부려진다(굴곡근의 증가).
ㄴ. 이 반사가 활성화되면 손의 기능적 사용이 어렵고 물체를 잡을 때도 한쪽 팔로만 잡으려 한다.
ㄷ. 이 원시반사가 지속되면 시각적 탐색능력이 저하되어 신체 인식이 늦어지고 시각적 인지능력도 낮아진다.
ㄹ. A와 상호작용을 하고자 할 때, 교사는 A의 몸을 기준으로 정중선 앞에서 접근하도록 한다.
ㅁ. 개인용 학습자료를 제시할 때, 반사가 일어나 A의 얼굴이 돌려지는 쪽의 눈높이 위치에 자료가 오도록 한다.
ㅂ. 스위치로 조작하는 의사소통판을 사용할 때, 스위치를 세워주어 A가 조작을 위해 머리를 숙여 반사가 활성화되지 않도록 한다.

① ㄴ, ㄷ, ㄹ
② ㄱ, ㄴ, ㄷ, ㅁ
③ ㄱ, ㄴ, ㄹ, ㅂ
④ ㄱ, ㄷ, ㄹ, ㅁ, ㅂ
⑤ ㄴ, ㄷ, ㄹ, ㅁ, ㅂ

11

척추측만증이 있는 뇌성마비학생에 대한 설명으로 옳은 것을 〈보기〉에서 모두 고른 것은?

―〈보기〉―
ㄱ. 뇌성마비는 발생학적으로 척추형성부전이나 척추연골화가 있어 신경근성 척추측만으로 분류된다.
ㄴ. 신체 정렬이 되지 않은 부적절한 자세가 관절의 위치나 근육의 길이를 변형시켜 이차적인 장애로 척추측만을 일으킬 수 있다.
ㄷ. 척추측만이 고착되지 않은 경우, 중력에 대항하고 비정상적인 근육 긴장도를 최소화시켜 주는 방식으로 신체 정렬이 되도록 자세를 잡아 준다.
ㄹ. 척추측만증 교정을 위해 맞춤된 앉기 보조 도구를 제공하여 가장 편하고 바른 자세를 잡아 주고, 그 자세를 일과 시간 동안 계속 유지시켜 준다.
ㅁ. 척추측만증을 위한 운동요법의 하나인 보바스(Bobath)법은 척추 주위의 운동 자극점을 지속적으로 눌러주어 비정상적인 자세긴장도를 정상화하는 것이다.

① ㄱ, ㄴ
② ㄴ, ㄷ
③ ㄴ, ㄷ, ㅁ
④ ㄱ, ㄷ, ㄹ, ㅁ
⑤ ㄴ, ㄷ, ㄹ, ㅁ

12 2010 중등1-36

지체장애학생들이 사용하는 일반적인 수동 휠체어에 대한 설명으로 가장 적절한 것은?

① 기동성을 높이기 위해서 앞바퀴는 작을수록, 뒷바퀴는 클수록 좋다.
② 좌석 넓이는 몸이 차체에 직접 닿아 압력을 느끼지 않는 범위에서 가급적 좁아야 한다.
③ 요추의 지지와 기능적 운동을 위한 자세에 도움이 되도록 등받이의 재질은 유연성이 클수록 좋다.
④ 랩 트레이(lap tray)는 양손을 기능적으로 사용하는 데 유용하지만 몸통과 머리의 안정성을 방해한다.
⑤ 팔걸이에 팔을 올려놓으면 척추에 작용하는 압력이 줄지만 상체 균형능력이 제한적인 경우에는 몸통의 안정성이 방해된다.

13 2011 유아1-16

만 4세 발달지체 유아 명수는 기저귀를 착용하고 유치원에 온다. 정 교사는 2008년 개정 특수학교 기본교육과정 사회과의 내용인 '화장실의 바른 사용법을 알고 용변 처리하기'를 명수에게 지도하고자 한다. 〈보기〉에서 적절한 지도 방법을 모두 고른 것은?

─〈보기〉─
ㄱ. 명수가 생활하는 환경에서 일관성 있는 훈련 절차로 지도한다.
ㄴ. 용변 처리 훈련 기간 중에는 명수에게 입고 벗기 쉬운 옷을 입힌다.
ㄷ. 명수가 기저귀를 착용하지 않도록 용변 처리 훈련을 야간에도 동시에 시작한다.
ㄹ. 명수가 독립적으로 용변 처리를 할 수 있도록 지도하되, 필요한 경우 부분 참여를 하도록 한다.

① ㄱ, ㄷ   ② ㄱ, ㄹ
③ ㄴ, ㄷ   ④ ㄱ, ㄴ, ㄹ
⑤ ㄴ, ㄷ, ㄹ

14

다음과 같은 특성을 보이는 만 4세 발달지체 유아 철수를 위한 식사 지도에서 고려해야 할 사항으로 가장 적절한 것은?

- 강직성 씹기 반사가 나타난다.
- 스스로 씹는 능력이 부족하다.
- 구강과 안면에 과민 반응이 나타난다.

① 거즈로 안면을 두드리거나 잇몸을 마사지하여 턱의 조절을 돕는다.
② 편안하게 누운 자세를 취하게 한 다음 부드러운 음식을 먹는 것부터 지도한다.
③ 스테인리스(stainless) 숟가락보다는 1회용 플라스틱 숟가락을 사용해서 먹도록 지도한다.
④ 장기적으로는 보조기기를 이용하기보다는 신체적 보조를 받아 자세를 유지하도록 한다.
⑤ 컵을 사용할 때에는 컵의 가장자리를 치아 위에 올려놓아 음료를 잘 마실 수 있도록 한다.

15

다음은 특수학교 박 교사가 자신의 학급 아동을 관찰한 내용이다. 이에 대한 설명으로 적절한 것을 〈보기〉에서 모두 고른 것은?

이름	장애 유형	관찰 내용
수지	뇌성마비	(가) 어떤 동작을 수행하면 자신의 의지와 상관없는 불필요한 동작이 수반된다. (나) 입 주위 근육에 마비가 나타나며, 이로 인하여 책이나 공책에 침을 흘리는 경우가 많다.
현우	근이영양증	(다) 종아리 부위의 근육이 뭉친 것처럼 크게 부어올라 있다. (라) 가우어 징후(Gower's sign)를 보이며 바닥에서 일어나는 데 어려움이 있다.
영수	이분척추	(마) 척추 부위에 혹과 같은 모양으로 근육이 부어올라 있다. (바) 머리가 비정상적으로 크고, 자주 구토를 하며 머리가 아프다고 호소한다.

─〈보기〉─
ㄱ. (가): 대뇌 기저핵의 손상이 주된 원인인 불수의 운동형의 주된 증상이다.
ㄴ. (나): 진행성이기 때문에 향후 이 마비 증상은 얼굴 전체로 확대된다.
ㄷ. (다): 유전자 중 X염색체의 결함이 주된 원인인 안면견갑상완형의 초기 증상이다.
ㄹ. (라): 향후 독립보행이 어렵게 되어 휠체어를 사용하게 된다.
ㅁ. (마): 척추 뼈가 완전히 닫히지 않아 분리된 척추 사이로 척수액이나 신경섬유가 돌출된 것이 원인인 잠재이분척추의 증상이다.
ㅂ. (바): 향후 수두증으로 진행하거나 션트(shunt) 삽입 수술 등이 필요할 수 있다.

① ㄱ, ㄴ
② ㄱ, ㄹ, ㅂ
③ ㄴ, ㄷ, ㄹ
④ ㄷ, ㄹ, ㅁ
⑤ ㄱ, ㄷ, ㅁ, ㅂ

16

홍 교사는 2008년 개정 특수학교 기본교육과정 교과서 국어 3 '정다운 대화' 단원에서 '일기 쓰기' 학습 활동을 다음의 내용으로 실시한 후, 중복장애 학생 영수의 쓰기를 평가하였다. 영수의 일기에 대한 평가와 지도 내용 중 바른 것을 〈보기〉에서 모두 고르면?

(가) 교과서 내용
제목에 알맞은 내용을 담은 일기를 쓰려고 합니다. 다음과 같이 내용을 정리하여 일기를 써 봅시다.

(나) 쓰기 지도 과정
- 소풍에 대해 이야기한다.
- ↓
- 소풍날 있었던 일을 대강 써본다.
- ↓
- 쓴 글을 다듬는다.
- ↓
- 자기가 쓴 글을 선생님이나 친구와 나눈다.

(다) 일기

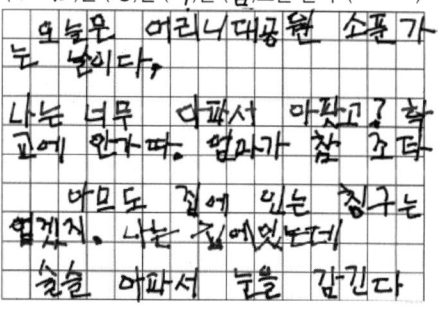

〈보기〉
ㄱ. 문장부호의 사용에는 오류를 보이지 않고 있다.
ㄴ. 단문 3개와 1개의 중문으로 된 일기로서 쓰기과정에 어려움을 보이지 않는다.
ㄷ. 영수의 일기에서는 '소리 나는 대로' 쓴 정음법적 전략을 사용한 철자오류가 많다.
ㄹ. 날짜, 요일, 장소, 하루 일과 중 있었던 일, 중요한 일을 생각하여 내용을 구성하였다.
ㅁ. 영수가 일기에서 보이는 오류를 중재하기 위해서는 페그워드(pegword) 전략으로 지도한다.

① ㄱ, ㄴ
② ㄷ, ㄹ
③ ㄱ, ㄹ, ㅁ
④ ㄴ, ㄷ, ㄹ
⑤ ㄷ, ㄹ, ㅁ

17

학생 A는 근육의 긴장도가 높고 독립보행이 안 되며, 그림 상징으로 의사소통을 하는 중도(severe) 뇌성마비 학생이다. 이 학생의 특성과 그림상의 문제점을 고려하여 교사가 학생 A를 바르게 안아 옮기기 위한 방법으로 적절한 것만을 〈보기〉에서 모두 고른 것은?

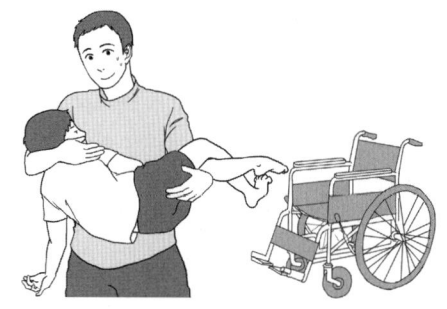

〈보기〉
ㄱ. 교사는 학생 A의 등 아래로 손을 넣고 교사의 허리를 이용하여 학생을 힘껏 들어 올려서 안는다.
ㄴ. 교사가 학생 A를 들어 올릴 때, 학생이 교사를 쳐다보거나 휠체어를 바라보는 반응을 기다려준다.
ㄷ. 학생 A를 쉽게 들어 올리기 위해 학생의 앉은 자세를 먼저 잡아 주고, 학생의 근육이 이완되지 않도록 유지하며 들어 올린다.
ㄹ. 학생 A를 마주보게 안아서 옮길 때는 학생의 양 하지를 벌리고 무릎을 구부려 교사의 허리에 걸치게 한 다음, 학생의 팔을 교사의 어깨에 올려 껴안고 옮긴다.

① ㄱ, ㄴ
② ㄱ, ㄷ
③ ㄴ, ㄹ
④ ㄱ, ㄷ, ㄹ
⑤ ㄴ, ㄷ, ㄹ

18

다음은 일상생활에서 나타나는 지체장애 학생 A의 특성이다. 학생 A의 특성을 고려한 자기관리기술 중재 방법으로 적절한 것만을 모두 고른 것은?

	일상생활 특성	자기관리기술 중재 방법
(가)	셔츠를 혼자 벗을 수 있으나 입지는 못한다.	헐렁한 셔츠를 스스로 입을 수 있도록 셔츠 입기의 마지막 단계부터 역순으로 촉구와 용암법을 활용하여 지도한다.
(나)	삼킴의 문제로 인해 빨대로 음료를 마실 수 없다.	컵에 부착된 빨대를 이용하여 우선 물과 같은 음료부터 빨대로 마실 수 있도록 최소촉구체계 방법으로 지도한다.
(다)	숟가락을 자주 떨어뜨려서 손으로 음식을 집어먹는다.	숟가락의 손잡이에 고리를 달아 손에 끼우고, 고정시간지연 절차에 따라 숟가락으로 음식 먹기를 지도한다.
(라)	방광 기능의 문제로 배뇨 조절이 안 되어 바지가 젖곤 한다.	소변 훈련용 바지를 이용하여 과잉 교정절차로 점차 스스로 소변을 조절할 수 있도록 지도한다.

① (가), (다) ② (나), (다)
③ (나), (라) ④ (가), (나), (라)
⑤ (가), (다), (라)

19

그림은 한 뇌성마비 학생의 뇌 손상 부위와 정도를 나타낸 것이다. 이 학생의 운동 및 말(speech) 특성을 설명한 것으로 옳은 것은?

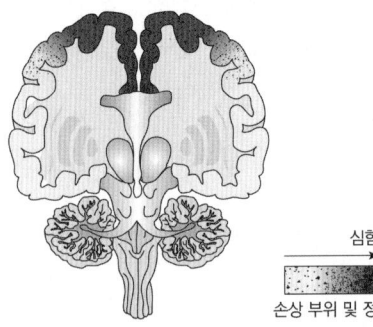

	운동 특성	말 특성
①	균형 감각과 방향 감각이 없어 걸음이 불안정하다.	말하는 속도가 느리고, 음절을 한 음 한 음씩 끊어서 말한다.
②	몸의 같은 쪽 상지와 하지의 근육 긴장도가 높아 발끝으로 걷는다.	억양이 거의 없어 단조로우며, 과대비음이 나타난다.
③	상지보다 하지의 근육 긴장도가 높고 관절의 움직임이 제한되어 있다.	성대의 지나친 긴장으로 인해 후두에서 쥐어짜는 듯이 말한다.
④	스스로 조절할 수 없는 신체의 떨림으로 인해 연속적인 근육 긴장도의 변화를 보인다.	말할 때 떨림과 말더듬 현상이 심하게 나타난다.
⑤	전신의 근육 긴장도 변화가 심하고, 의도적으로 움직이려고 할 때 불규칙적이고 뒤틀린 동작을 보인다.	호흡이 거칠고 기식성의 소리가 많다.

20
2011 중등1-26

그림은 뇌성마비 학생 A가 보조 도구 없이 의자에 앉아 있는 모습이다. 다양한 상황에서 학생 A를 위해 교사가 취할 수 있는 자세 조정 방법을 설명한 것으로 옳은 것만을 모두 고른 것은?

	상황	자세 조정 방법
(가)	쉬는 시간에 매트 위에 누워 책을 볼 때	학생 A를 매트에 똑바로 누이고 허리 밑에 지름 20cm 정도인 롤(roll)을 받쳐 준 후 양손으로 책을 잡도록 한다.
(나)	컴퓨터 시간에 엎드려 노트북으로 작업할 때	학생 A를 삼각지지대(wedge) 위에 엎드리게 하여 엉덩이와 등이 들리지 않게 벨트로 고정시킨 다음, 학생 A의 얼굴 앞쪽에 노트북을 배치한다.
(다)	특별활동 시간에 밴드부에서 작은북 치기를 할 때	기립대(standing equipment)에 학생 A를 세워 허리, 엉덩이, 무릎을 벨트로 고정시키고, 양 팔꿈치 옆에 지지대를 받쳐 준 후 작은북을 학생 앞에 놓는다.
(라)	재량활동 시간에 바닥에 앉아 친구들과 카드 놀이를 할 때	학생 A를 각진 의자(corner chair)에 앉혀 다리를 뻗게 하고, 등은 바르게 유지하게 하며, 어깨를 안으로 모아 주어 양손이 몸의 중앙에 오게 한 후 카드를 손에 쥐어 준다.
(마)	미술 시간에 책상 앞에 앉아 물감 찍어 모양 만들기를 할 때	학생 A를 의자에 앉혀서 허벅지 옆에 지지대를 사용하여 양 다리를 곧게 뻗게 한 뒤, 윗몸이 들어갈 정도의 둥근 홈이 있는 책상 위에 양 팔꿈치를 올려 주어 물감을 사용하게 한다.

① (가), (나), (마)
② (나), (다), (라)
③ (다), (라), (마)
④ (가), (나), (다), (라)
⑤ (가), (나), (라), (마)

21
2012 유아1-22

다음은 각 유아의 음식 섭취 특성과 그에 따른 박 교사의 지도 방법을 제시한 것이다. 각 유아의 장애 유형을 옳게 짝지은 것은?

유아	음식 섭취 특성	지도 방법
인호	• 과도한 식욕을 보이므로 음식을 조절해주지 않으면 생명을 위협하는 비만이 발생할 수 있음 • 일반적으로 계속 음식을 요구하고, 충동적이고 고집이 센 편임	• 과도한 섭식으로 인한 행동 장애가 문제이므로 의사와 영양사의 자문을 받게 함
수진	• 입이 자극을 받으면 강직성 씹기 반사(tonic bite reflex)가 나타남 • 식사 시간이 길어지므로 좌절, 피로 누적, 영양 섭취의 문제를 초래할 수 있음 • 유아의 비정상적인 근육 긴장도와 제한된 신체적 활동으로 인해 변비가 생기기 쉬움	• 금속보다는 실리콘 재질의 숟가락을 사용하게 함 • 바른 자세로 앉아 씹기와 삼키기를 잘하도록 격려함 • 적절한 운동과 식이 섬유 음식물을 섭취하게 함
진우	• 비전형적인 촉각, 미각, 후각을 갖기 때문에 음식물의 색, 생김새, 맛, 냄새 등에 따라 특정 음식에 대해 극단적인 반응을 보일 수 있음 • 특정 음식의 질감에 대한 구강 과민성을 가짐	• 유치원과 가정이 협력하여 유아가 좋아하는 음식만을 먹는 일이 없게 함

	인호	수진	진우
①	프래더-윌리 증후군	자폐성 장애	뇌성마비
②	프래더-윌리 증후군	뇌성마비	자폐성 장애
③	뇌성마비	프래더-윌리 증후군	자폐성 장애
④	뇌성마비	자폐성 장애	프래더-윌리 증후군
⑤	자폐성 장애	뇌성마비	프래더-윌리 증후군

22

다음은 협력적 팀 접근을 위해 특수학교 교사와 물리치료사가 체육수업 시간 동안 민수의 활동을 관찰한 후 나눈 대화이다. 〈보기〉의 설명 중 옳은 것을 모두 고르면?

> 치료사: ㉠민수의 활동을 관찰한 후 대근육 운동능력을 평가해 보았더니, ㉡수동 휠체어를 타고 다니지만 서기 연습과 워커를 사용해서 걷기 연습을 하는 것이 필요해요.
> 교 사: 그럼 서기 자세보조기기를 사용해서 서기 연습을 시키려면 어떻게 도와주어야 할까요?
> 치료사: ㉢선생님을 민수로 생각하고 제가 시범을 보일게요. 민수의 경우 다리에 힘이 풀려서 주저앉거나 엉덩이가 뒤로 당겨져 정렬이 흐트러질 수 있으니 서기 자세보조기기의 엉덩이, 무릎, 발 벨트 부분을 묶어 주는 것이 좋아요.
>
> (1주일 경과 후)
>
> 교 사: ㉣지난 미술시간에 민수가 워커를 사용하여 걸어서 두 발자국 정도 옮기니까 가위 모양으로 두 다리가 꼬이며 힘들어 하는 것을 보았어요. 어떻게 도와주면 될까요?
> 치료사: (방법을 알려준다.)
> 교 사: 이제 알겠어요. 앞으로는 ㉤쉬는 시간에 워커를 사용하여 걸어서 화장실에 다녀오는 기회를 자주 줄게요.

─〈보기〉─
ㄱ. ㉠은 시각 운동 통합 발달검사(Developmental Test of Visual Motor Integration)로 측정할 수 있다.
ㄴ. ㉡의 걷기 연습 초기에는 몸통이나 팔 지지형 워커를 사용하다가 걷기 능력이 향상되면 일반형 워커로 교체해 주는 것이 필요하다.
ㄷ. ㉢에서 물리치료사는 특수학교 교사에게 자문 및 역할방출(role release)을 통해 민수에게 직접 서비스를 제공하고 있는 것이다.
ㄹ. ㉣의 경우 신체의 정렬을 유지할 수 있도록 민수의 등뒤에 서서 교사의 한쪽 다리를 민수의 무릎 사이에 넣어 주어 두 다리가 꼬이지 않게 도와줄 수 있다.
ㅁ. ㉤에서 걷기의 운동 형태는 워커를 사용하는 것이고, 운동 기능은 화장실로 이동하는 것이다.

① ㄱ, ㄷ   ② ㄷ, ㅁ
③ ㄱ, ㄴ, ㄹ   ④ ㄴ, ㄹ, ㅁ
⑤ ㄱ, ㄴ, ㄷ, ㅁ

23

다음은 특별한 건강관리가 필요한 학생들이 보일 수 있는 발작과 질식 사고에 대한 설명이다. ㉠~㉤ 중에서 옳은 것만을 있는 대로 고른 것은?

> 학생이 발작을 일으키면, 교사는 ㉠발작을 억제시키기 위해 학생을 흔들거나 붙들지 말아야 하며, 발작이 멈춘 후에는 충분한 휴식을 취하게 한다.
> 발작을 억제하기 위해 식이요법을 시도할 수 있다. ㉡케톤 식이요법(ketogenic diet)은 칼슘과 단백질을 늘리고 지방과 탄수화물은 적게 섭취하는 방식이다.
>
> … (중략) …
>
> ㉢뇌성마비가 있는 학생은 기도 폐색에 의한 질식 사고의 위험이 있는데, 치아와 잇몸의 손상, 구강 반사의 문제, 연하 곤란 등이 원인이 될 수 있다. 질식 사고가 생기게 되면 즉시 응급처치를 실시해야 한다. ㉣하임리히 구명법(Heimlich maneuver)은 기도폐색이 된 학생을 뒤에서 팔로 안듯이 잡고, 명치 끝(횡격막하)에 힘을 가해 복부 아래쪽으로 쓸어내리는 방법이다. 의식 불명 등으로 뒤에서 안을 수 없는 상황이라면, ㉤학생을 바닥에 엎어 놓고 복부를 쿠션 등으로 받친 다음, 흉골의 중간 부분에 해당하는 등 부위에 직접 압박을 가한다.

① ㉠, ㉢
② ㉠, ㉡, ㉢
③ ㉡, ㉢, ㉣
④ ㉠, ㉡, ㉣, ㉤
⑤ ㉠, ㉢, ㉣, ㉤

24
2012 중등1-36

다음은 지체장애 학생 A의 특성이다. 학생 A를 위해 고려할 수 있는 교육적 지원 방법으로 적절한 것만을 〈보기〉에서 있는 대로 고른 것은?

- 장애 및 운동 특성
  - 뇌성마비(사지마비, 경직형)
  - 휠체어 이동
  - 착석 자세에서 체간의 전방굴곡
  - 관절운동범위(ROM)의 제한
- 학습 특성
  - 과제에 대한 독립적 수행 의지가 낮고 보조원에게 의존하는 경향이 있음
  - 과제 회피 행동을 간혹 보임(교재를 떨어뜨리는 행동 등)
  - 학습 장면에서 잦은 실패 경험으로 인해 학습 동기가 낮음
  - 학업 성취 수준이 낮음

〈보기〉

ㄱ. 학생 A의 책상 높이를 낮추고 휠체어에 외전대를 제공하면, 몸통의 전방굴곡을 막고 신체의 정렬을 도와 안정된 착석 자세를 확보할 수 있다.

ㄴ. 제한된 ROM으로 학습 활동에 참여하기 어려울 수 있으므로 보조기기를 제공하거나 과제 수행 계열을 조정하는 방식으로 과제 참여 수준을 수정하여 의존성은 줄이고 독립심은 높일 수 있다.

ㄷ. 선행자극 전략의 하나로 학생 A에게 과제 선택 기회를 제공함으로써 활동에 대한 동기를 높이고 과제에 대해 느끼는 혐오적 속성과 과제 회피행동은 감소시킬 수 있을 것이다.

ㄹ. 학습 평가 시 학생 A의 능력, 노력, 성취의 측면을 모두 평가하는 다면적 평가 방법을 적용할 수 있다. 평가 수정은 학생 A의 성취 수준에 적절한 평가 준거에 맞추어 변화의 정도 파악에 중점을 두는 것이 필요하다.

ㅁ. 학생 A의 학습 성공 경험을 높이기 위해 자극 촉진과 반응 촉진을 적용할 수 있다. 두 전략은 모두 교수 자극을 수정하기 때문에 계획에 시간이 걸리지만, 학습 과제의 특성에 따라 강화 제공 방식이 달라 학생 A의 정반응 가능성을 높여 줄 것이다.

① ㄱ, ㄷ
② ㄴ, ㅁ
③ ㄱ, ㄹ, ㅁ
④ ㄴ, ㄷ, ㄹ
⑤ ㄴ, ㄷ, ㅁ

25
2012 중등1-38

뇌성마비에 대한 설명으로 옳은 것을 〈보기〉에서 있는 대로 고른 것은?

〈보기〉

ㄱ. 근긴장도를 조절하는 뇌 영역이 손상된 뇌성마비는 비정상적 근긴장에 의한 근골격계의 문제가 성장할수록 심해지는 진행성 질환이다.

ㄴ. 경직성 편마비는 환측(患側)의 근육과 팔다리가 건측(健側)에 비해 발육이 늦거나 짧은 경향이 있으며, 반맹(半盲)이나 감각장애가 발생하기도 한다.

ㄷ. 경직형 뇌성마비에서 주로 보이는 관절 구축은 관절 주위 근육의 경직으로 인해 골격이 관절에서 이탈된 상태를 의미하며, 성장할수록 통증과 척추 측만증을 유발한다.

ㄹ. 운동은 신체의 중앙(근위부)에서 말초(원위부)의 방향으로 발달하고, 근육의 수축은 반사적 수축에서 수의적 수축으로 발달하는데, 뇌성마비는 이러한 정상 운동 발달 과정을 방해한다.

ㅁ. 비정상적인 근긴장은 근골격 구조의 변화를 유발하는데 스스로 자세를 바꾸거나 팔을 이용하여 신체를 지지하는 것과 같은 보상적 운동 패턴의 발달을 도와주면 이차적 장애를 개선할 수 있다.

① ㄱ, ㄷ
② ㄴ, ㄹ
③ ㄱ, ㄴ, ㅁ
④ ㄴ, ㄷ, ㄹ
⑤ ㄷ, ㄹ, ㅁ

26 | 2013 유아B-2

다음은 유아특수교사인 김 교사가 만 5세 발달지체 유아 태호를 위해 전문가와 협력한 활동이다. 물음에 답하시오.

(나)

> 김 교사는 간식 시간에 작업치료사로부터 턱 주변의 근긴장도가 낮은 태호의 턱을 지지해주는 손동작을 배우고 있다. 김 교사는 작업치료사의 지원을 받으며 태호의 앞과 옆에서 턱을 보조하는 방법에 대해 배우는 중에, 한쪽이 낮게 잘린 컵에 담긴 물을 먹이고 있다. 이때 ⓒ 컵의 낮게 잘린 쪽이 코 반대 방향으로 향하고 있다.

4) 다음 문장의 괄호 안에 들어갈 알맞은 말을 쓰시오.

> ⓒ과 같이 지도할 경우, 태호의 머리 신전을 막을 수 있어 물이 (　　　　)을(를) 예방할 수 있다.

27 | 2013 초등B-1

특수학교 최 교사는 중도 뇌성마비 학생 민수가 있는 학급에서 '2010 개정 특수교육 교육과정' 중 기본 교육과정 사회과 '우리나라의 풍습' 단원을 지도하고자 한다. (가)는 교수·학습 과정안이다. 물음에 답하시오.

(가) 교수·학습 과정안

학습 목표	민속놀이의 의미를 알고, 규칙을 지켜 민속놀이를 할 수 있다.	
단계	교수·학습 활동	자료 및 유의점
도입	• 영상 자료를 활용하여 다양한 민속놀이 알아보기 • 민속놀이 경험 이야기하기	DVD
전개	• 널뛰기, 씨름, 강강술래 등 민속놀이 알기 • 줄다리기에 담긴 의미 알기 • 탈춤을 통한 서민들의 생활 모습 알기	민속놀이 단원은 (　㉠　)와(과) 관련지어 지도하는 것이 효과적임
	• ⓒ 모둠별로 책상을 붙이고 둘러앉아서 민속놀이 도구 만들기 • 놀이 방법을 알고 규칙을 지키며 윷놀이 하기	ⓒ 양손을 사용하여 활동하도록 지도함

2) 민수는 바른 자세를 유지하기 위해 프론 스탠더(prone stander, 서기 자세 보조기기)가 필요한 학생이다. 그러나 최 교사는 (가)의 ⓒ 활동에서 민수에게 프론 스탠더 대신 휠체어를 사용하게 하였다. 최 교사의 이러한 조치가 적절한 이유 1가지를 쓰시오.

3) (가)의 ⓒ에서 양손을 사용하도록 지도한 이유 1가지를 쓰시오.

28
2013 초등B-4

다음의 (가)는 '2010 개정 특수교육 교육과정' 중 기본 교육과정 과학과 내용을 기초로 김 교사가 재구성한 월간 교육 계획의 일부이다. (나)는 (가)의 교육 계획 중 2주차 학습 제재를 지도하기 위해 작성한 교수·학습 계획이다. 물음에 답하시오.

(가) 7월 교육 계획

주	주제	생활 속의 과학 현상
	학습제재	주요 내용
1	생활 속의 (㉠) 작용	• 생선의 비린내를 없애기 위해 레몬 뿌리기 • 머리를 헹굴 때 마지막에 식초 넣어 헹구기
2	생활 속의 증발 현상	• 젖은 옷에서 물의 증발 관찰하기 • 바닷물의 증발로 소금을 얻을 수 있음을 알기

(나) 교수·학습 계획

학생 특성	• 수지: 경도 정신지체를 수반한 지체장애 학생으로 휠체어를 사용함 • 동우: 척수 손상으로 ㉡욕창을 보일 위험이 있음	
학습 목표	일상생활 속에서 수증기와 관련되어 일어나는 자연현상에 대해 알 수 있다.	
단계	교수·학습 활동	지도 시 유의점
탐색 및 문제 파악	젖은 옷을 창 가까이에 널어 시간 흐름에 따른 변화 관찰하기	수지가 창가로 이동하기 쉽도록 ㉢교실 환경을 조정함
자료 제시 및 관찰 탐색	시간이 지나면서 젖은 옷이 어떻게 되었는지 이야기하고, 그 이유에 대하여 토론하기	
자료 추가 제시 및 관찰 탐색	가스레인지에 물을 끓이고 난 후, 그릇에 담긴 물의 양 관찰하기	가스레인지 사용 시 특히 안전에 유의함
(㉣)	'증발'이라는 용어를 도입하고, 증발의 특징 및 증발에 영향을 주는 요인에 대하여 논의하기	
적용 및 응용	학생들에게 물수건을 하나씩 나누어 주고, 누가 10분 동안에 잘 말리는지 게임하기	

2) (나)의 ㉡을 예방하기 위해 김 교사가 할 수 있는 방법 1가지를 쓰시오.

3) (나)의 ㉢의 구체적인 방법 1가지를 쓰시오.

29 | 2013 중등1-11

비구어 중도·중복장애 학생의 비상징적 의사소통을 증진하기 위해 대화상대자인 교사가 할 수 있는 의사소통 촉진 전략으로 옳은 것만을 〈보기〉에서 있는 대로 고른 것은?

〈보기〉
ㄱ. 학생이 보이는 비상징적 의사소통 형태의 다양성과 의미를 고려하여 민감하게 반응한다.
ㄴ. 학생이 보이는 문제행동에 내포된 의사소통 기능을 파악하고, 문제행동을 대체할 의사소통 기술을 지도한다.
ㄷ. 학생에게 비상징적 의사소통 기술 사용을 촉진하기 위해 친근한 대화상대자와 상호작용하는 환경으로 제한한다.
ㄹ. 학생에게 상징과 비상징이 결합된 다중양식을 사용하기보다는 상징을 구체화하고 정교화하여 학생의 이해도를 높인다.
ㅁ. 자연스러운 환경 내에서 발생하는 반복적인 일과들을 예측 가능하도록 구조화하여 학생에게 역할을 부여하고, 사회적 상호작용에 참여할 기회를 확대한다.

① ㄱ, ㄷ
② ㄱ, ㄴ, ㅁ
③ ㄴ, ㄷ, ㄹ
④ ㄴ, ㄹ, ㅁ
⑤ ㄷ, ㄹ, ㅁ

30 | 2013 중등1-27

뇌성마비 학생에게 나타나는 특성과 교사가 실시한 식사 지도 방법으로 옳은 것은?

구분	특성 및 식사 지도 방법
① 위식도 역류	• 식도 괄약근의 기능 약화로 인해 잦은 구토가 발생함 • 작은 조각의 음식이나 거친 음식을 먹게 하고, 식사 후에는 약 1시간 정도 똑바로 누워 있게 함
② 강직성 씹기 반사	• 숟가락이 잇몸과 치아에 닿아 과민성 촉각 반응이 유발되어 발생함 • 새로운 질감의 음식을 줄 때는 금속재질의 숟가락을 사용함
③ 혀 내밀기	• 불충분한 혀의 후방 운동 및 불수의적 움직임으로 인해 발생함 • 숟가락으로 혀의 중앙 부분을 지그시 눌러 주며 목구멍 쪽 혀의 뿌리에 음식을 놓음
④ 침 흘림	• 입술다물기 및 유지의 어려움과 연하 기전의 문제로 발생함 • 입술다물기 지도를 할 때는 중지는 턱 아래, 검지는 턱과 입술 사이, 엄지는 얼굴 옆에 대고 아래턱의 움직임을 조절함
⑤ 삼킴장애	• 비자발적 움직임이 일어나는 인두(咽頭) 단계에서 음식물을 인두로 미는 데 필요한 압력을 만들지 못함 • 음식물을 먹는 동안 몸을 뒤쪽에 기댄 채, 고개를 뒤로 젖히고 턱을 들어 올려 음식물이 식도로 흘러 넘어가게 함

31 2013 중등1-28

비대칭 긴장성 경부반사(ATNR)를 보이는 뇌성마비 학생 A와 대칭 긴장성 경부반사(STNR)를 보이는 뇌성마비 학생 B를 위한 교사의 지원방법으로 옳은 것만을 〈보기〉에서 있는 대로 고른 것은?

〈보기〉
ㄱ. 학생 A에게 학습 교재를 제공할 때는 교재를 책상 가운데에 놓아주고 양손을 몸의 중앙으로 모을 수 있게 한다.
ㄴ. 학생 A가 휠체어에 앉아 있을 때는 원시적 공동운동 패턴을 극대화시켜서 구축과 변형을 예방하고 천골과 미골에 욕창이 발생하지 않게 한다.
ㄷ. 학생 A가 컴퓨터 작업을 할 때 반사가 활성화되면 고개가 돌아간 방향에 모니터를 놓고, 관절 운동범위(ROM)와 자발적 신체 움직임을 고려하여 스위치의 위치를 정한다.
ㄹ. 학생 B를 휠체어에 앉힐 때에는 골반과 하지 그리고 체간의 위치를 바로 잡은 후, 머리와 목의 위치를 바르게 한다.
ㅁ. 학생 B의 컴퓨터 사용을 위해 직접선택능력을 평가할 때는 손의 조절, 발과 다리의 조절, 머리 및 구강과 안면의 조절순으로 한다.

① ㄱ, ㄹ
② ㄴ, ㄷ
③ ㄱ, ㄷ, ㄹ
④ ㄴ, ㄷ, ㅁ
⑤ ㄴ, ㄹ, ㅁ

32 2013 중등1-29

지체장애 학생들이 사용하는 보조기기 (가)~(다)에 대한 설명으로 옳은 것만을 〈보기〉에서 있는 대로 고른 것은?

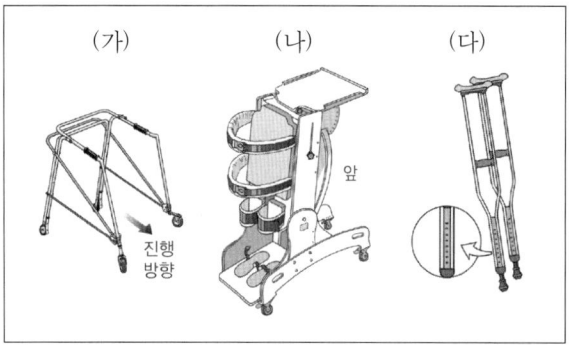

〈보기〉
ㄱ. (가)는 체간의 힘이 부족하여 몸통이 앞으로 기우는 학생이 사용하는 보행 보조기기이다.
ㄴ. (가)는 양쪽 손잡이를 잡아 두 팔로 지지하고 서서 몸의 균형을 잡고 자세를 곧게 하여 안정적으로 걷는 동작을 향상시킨다.
ㄷ. (나)는 머리를 스스로 가누기 어려운 학생에게 사용하는 기립 보조기기이다.
ㄹ. (나)는 고관절 수술 후 관절의 근육을 형성하거나 원시반사를 경감시켜 주는 효과가 있고, 체중을 앞으로 실은 채 기댈 수 있으므로 두 손을 기능적으로 사용할 수 있다.
ㅁ. (다)를 이용하여 계단을 내려갈 때는 (다)와 불편하지 않은 발을 먼저 딛고, 올라갈 때는 (다)와 불편한 발을 먼저 내딛는다.
ㅂ. (다)의 길이는 (다)를 지지하고 섰을 때, 어깨와 팔의 각도를 약 45도로 하고 겨드랑이에 주먹 하나가 들어갈 정도로 하여 조절한다.

① ㄱ, ㄴ, ㄹ
② ㄱ, ㄷ, ㅂ
③ ㄴ, ㄹ, ㅁ
④ ㄱ, ㄷ, ㄹ, ㅂ
⑤ ㄴ, ㄷ, ㅁ, ㅂ

33 2013추시 초등A-2

다음은 지체장애와 정신지체를 지닌 중도·중복장애 학생 현우의 전반적 특성을 제시한 것이다. 물음에 답하시오.

- 성별: 남   • 연령: 8세
- 단순 모방, 지시 따르기, 상징 이해 능력이 매우 떨어져 기능 훈련에 어려움을 보임
- 스스로 용변 처리를 하거나 용변 의사를 표현할 수 없어서 기저귀를 착용하고 있음
- 자세 유지, 움직임과 이동이 곤란함
- 빨기, 씹기, 삼키기 등의 섭식 기능에 문제가 있음
- 다음과 같은 두드러진 건강상의 문제를 보임
  ㉠ 요로 계통의 감염으로 인해 소변에서 유해한 세균이 검출되며, 배뇨통, 요의 절박(절박 요실금), 발열, 구토, 설사, 체중 증가 부진, 복통 등의 증상을 유발함
  ㉡ 식사 도중 음식물이 역류하거나 음식물로 인해 목이 메어 구역질이나 기침을 자주 하며, 가슴앓이, 식도염증, 그리고 삼키기 곤란 증상으로 인하여 소화, 배설, 영양실조 등의 2차적 문제가 발생함

1) 현우의 전반적 특성을 고려할 때, 다음 중 우선적으로 적용해야 할 교육 목표로서 적절하지 않은 것 2가지를 찾아 번호를 쓰고, 그 내용을 바르게 수정하시오.

① 교사 모델링을 통해 스스로 턱을 조절하여 씹을 수 있도록 한다.
② 다양한 감각을 활용하여 외부 환경 및 대상을 직접 경험할 수 있도록 한다.
③ 노래, 악기 등 음악이나 소리를 통한 청각적 자극을 제공하여 신체 및 정서 발달을 촉진한다.
④ 침톡, 테크톡과 같은 음성 출력 의사소통 기기를 통해 용변 의사를 표현할 수 있도록 한다.

• 번호와 수정 내용:

• 번호와 수정 내용:

2) 다음은 ㉠에 대해 특수교사가 지원할 수 있는 내용을 제시한 것이다. ①과 ②에 들어갈 알맞은 말을 쓰시오.

감염 부위의 (①)을(를) 유지시키고, 충분한 (②)섭취를 돕는다.

①:

②:

3) ㉡에 대하여 적절하지 않은 지원 내용 2가지를 다음에서 찾아 번호를 쓰고, 그 내용을 바르게 수정하시오.

① 식사 후 약 10분간 누워서 스트레칭을 하도록 한다.
② 하루 동안 필요한 음식량을 조금씩 나누어 자주 제공한다.
③ 고형식 음식을 일정 크기로 잘라서 숟가락으로 떠먹인다.
④ 의사의 처방에 따라 정해진 시간에 정확한 양의 약물을 복용시킨다.

• 번호와 수정 내용:

• 번호와 수정 내용:

34　　2014 유아A-7

(가)는 경직형 뇌성마비 유아 주희의 언어 관련 특성이고, (나)는 특수교사와 언어재활사가 협의한 내용이다. 물음에 답하시오.

(가) 주희의 언어 관련 특성

- 호흡이 빠르고 얕으며, 들숨 후에 길게 충분히 내쉬는 것이 어려움
- 입술, 혀, 턱의 움직임이 조절되지 않고 성대의 과도한 긴장으로 쥐어짜는 듯 말함
- 말소리에 비음이 비정상적으로 많이 섞여 있음
- 전반적으로 조음이 어려우며, 특히 /ㅅ/, /ㅈ/, /ㄹ/음의 산출에 어려움을 보임

(나) 협의록

- 날짜: 2013년 3월 13일
- 장소: 특수학급 교실
- 협의 주제: 주희의 언어 능력 향상을 위한 지도 방안
- 협의 내용:
  ① 호흡과 발성의 지속 시간을 점진적으로 늘릴 수 있도록 지도하기로 함
  ② 비눗방울 불기, 바람개비 불기 등의 놀이 활동을 통해 지도하기로 함
  ③ /ㅅ/, /ㅈ/, /ㄹ/ 발음의 정확성을 높이기 위하여 반복 연습할 기회를 제공하기로 함
  ④ 자연스럽고 편안한 발성을 위하여 바른 자세 지도를 함께 하기로 함
  ⑤ 추후에 주희의 의사소통 문제는 ㉠언어의 3가지 주요 요소(미국언어·청각협회: ASHA)로 나누어 종합적으로 재평가하여, 필요하다면 주희에게 적합한 ㉡보완대체의사소통(AAC)체계 적용을 검토하기로 함

1) 주희의 언어 관련 특성에 근거하여 (나)의 협의 내용 ①~④ 중 틀린 내용을 찾아 번호를 쓰고, 그 이유를 쓰시오.

- 번호:

- 이유:

35　　2014 초등A-6

(가)는 경직형 뇌성마비 학생 주희의 언어 관련 특성이다. 물음에 답하시오.

(가) 주희의 언어 관련 특성

- 호흡이 빠르고 얕으며, 들숨 후에 길게 충분히 내쉬는 것이 어려움
- 입술, 혀, 턱의 움직임이 조절되지 않고 성대의 과도한 긴장으로 쥐어짜는 듯 말함
- ㉠ 말소리에 비음이 비정상적으로 많이 섞여 있음
- 전반적으로 조음이 어려우며, 특히 /ㅅ/, /ㅈ/, /ㄹ/음의 산출에 어려움을 보임

1) 주희의 말소리 산출 과정에서 ㉠과 같은 현상이 나타나는 이유를 쓰시오.

36 2014 중등A-13

다음은 중학교 특수학급 교사와 방과 후 스포츠 활동 강사가 근이영양증(Muscular Dystrophy ; MD)을 지닌 학생들에 대해 나눈 대화 내용이다. 밑줄 친 ㉠과 ㉡이 의미하는 용어를 각각 쓰시오.

> 강사: 선생님, 제가 이전 학교에서 지도했던 학생들 중 ㉠두 다리를 넓게 벌리고 양손으로 바닥을 짚었다가 무릎과 허벅지를 손으로 밀면서 일어나는 모습을 보이는 학생이 있었어요. 스포츠 활동 프로그램을 계획해야 하는데, 이 학교에도 이런 특징을 보이는 학생이 있나요?
> 교사: 아마도 이 학교에서는 그런 특징을 보이는 학생을 보기는 어려울 거예요. 그런 학생들의 경우, 중학생이 되면 대부분 휠체어를 타게 되기 때문이에요.
> 강사: 그렇군요. 제가 지도했던 또 다른 학생은 배를 쏙 내밀고 등이 움푹 들어간 자세로 걷는데도 종아리 부분은 크고 튼튼해 보이더라고요. 그건 왜 그런 건가요?
> 교사: 그건 ㉡실제적으로 근위축이 일어나지만 근섬유 대신에 지방세포가 들어차 마치 근육이 증가한 것처럼 보이는 것이지 실제로 튼튼한 것은 아니에요.
> 강사: 네. 좋은 정보 감사합니다. 그러면 휠체어를 타는 학생들이 현재 상태를 유지할 수 있도록 근육 스트레칭이나 적절한 운동 프로그램을 준비하면 되겠네요.

37 2014 중등A-서4

다음의 (가)는 지체장애 특수학교에 재학 중인 학생 A의 특성이고, (나)는 특수교사와 물리치료사가 미술 시간에 학생 A를 관찰한 내용이며, (다)는 학생 A를 위해 (가)와 (나)를 반영하여 수립한 지원 계획이다. (다)의 ㉠을 하기 위해 활용 가능한 보조기구를 1가지만 제시하고, ㉡을 하는 이유를 (가)의 밑줄 친 특성과 관련지어 설명하시오. 그리고 ㉢과 ㉣에 해당하는 서비스 유형을 비교할 때, ㉢에 해당하는 서비스 유형이 지닌 학생 측면에서의 장점을 1가지만 쓰시오.

(가) 학생 A의 특성

- 뇌성마비(경직형 사지마비)로 긴장성 미로 반사를 보임
- 이너 시트(inner seat)가 장착된 휠체어를 사용함

(나) 학생 A에 대한 관찰 내용

- 친구들과 바닥에 전지를 펴 놓고 '우리 마을 지도'를 그리고 있음
- 바닥에 앉아 있는 자세를 취하는 데 어려움을 보임

(다) 학생 A를 위한 지원 계획

- ㉠ 엎드려서 그리기를 잘 할 수 있는 자세를 취하도록 지원한다.
- ㉡ 그림을 그리다 피로감을 호소하면 옆으로 누운 자세를 취하도록 지원한다.
- ㉢ 특수교사가 미술 수업을 하는 동안 물리치료사는 학생 A가 '우리 마을 지도'를 잘 그릴 수 있도록 바른 자세를 잡아준다.
- ㉣ 물리치료사는 학교 내 치료 공간에서 학생 A에게 치료 지원을 제공한다.

38
2014 중등B-3

다음의 (가)는 중도·중복장애 학생 A의 특성이고, (나)는 중도·중복장애 학생 B의 특성 및 소변 훈련 준비도 평가 결과이다. 학교 일과 중 언제 (가)의 밑줄 친 ㉠을 하는 것이 적절한지 쓰고, ㉠을 할 때 학생 A에게 적절한 자세를 1가지만 쓰시오. 그리고 (나)의 밑줄 친 ㉡을 기초로 학생 B가 소변 훈련을 받을 준비가 되어있는지, 그 여부를 판단할 수 있는 근거 1가지만 쓰시오.

(가) 학생 A의 특성

> ㉠ 위루관(G튜브)을 통해 영양 공급을 받음

(나) 학생 B의 특성 및 소변 훈련 준비도 평가 결과

- 소변보기와 관련한 생리적인 문제는 없음
- ㉡ 소변 훈련 준비도 평가 결과

날짜 시간	4/8	4/9	4/10	4/11	4/12
09:00	−	+	+	+	−
09:30	+	−	−	−	+
10:00	+	+	+	+	+
10:30	+	+	+	+	+
11:00	−	+	+	+	+
11:30	+	−	+	−	+
12:00	+	+	+	+	+
12:30	+	+	+	+	+
13:00	+	+	+	+	+
13:30	−	−	−	+	−
14:00	+	+	+	−	+
14:30	+	+	+	+	+
15:00	+	+	+	+	+

* +: 기저귀가 마름, −: 기저귀가 젖음.
* 순간 표집법으로 측정함.

39
2015 유아A-8

진희는 경직형 뇌성마비를 가진 5세 유아이다. 특수학교 강 교사는 신변처리 기술을 지도하기 위해 2주 동안 자료를 수집하였다. 다음은 진희의 배뇨와 착탈의 기술에 대한 현재 수준과 단기목표의 일부이다.

구분	현재 수준	단기목표
배뇨	• 배뇨와 관련된 의학적 질병은 없음 • 1일 소변 횟수는 13~17회임 • 소변 간격은 10~60분임	㉠ 유아용 변기에 앉아 있을 수 있다.
착탈의	• 옷을 입거나 벗는 데 도움이 필요함 • 고무줄 바지를 내릴 수 있음 • 바지춤을 잡고 있으나 올리지는 못함	㉡ 혼자서 고무줄 바지를 입을 수 있다.

1) 위 자료를 근거로 배뇨 학습을 위한 진희의 신체적 준비 여부를 판단하여 쓰고, 판단의 근거를 쓰시오.

① 준비 여부:

② 판단 근거:

2) 단기목표 ㉠에 도달하기 위해 물리치료사는 다음과 같은 지도상의 유의점을 알려 주었다. A에 들어갈 알맞은 말을 쓰시오.

> 진희가 변기에 앉아서 옆으로 쓰러지지 않도록 하려면 자세잡기부터 잘 해주셔야 합니다. 앉은 자세에서 여러 가지 동작을 수행하려면 (A) 능력이 매우 중요하기 때문입니다.

• A:

40 2015 초등A-6

(가)는 지체장애 특수학교 2학년 학생들의 특성이고, (나)는 '2009 개정 슬기로운 생활과 교육과정'에 따른 '마을과 사람들' 단원 지도 계획과 학생 지원 계획의 일부이다. 물음에 답하시오.

(가) 학생 특성

미나	• 이분척추를 지닌 학생이며, 뇌수종으로 인하여 션트(shunt) 삽입 수술을 받음
현우	• 뇌성마비 학생이며, 상지 사용이 가능하여 휠체어를 타고 이동할 수 있음 • 휠체어를 타고 턱을 넘을 때, 몸통의 근긴장도가 높아지고 깜짝깜짝 놀라는 반응을 보임
은지	• 뇌성마비학생이며, 전동 휠체어를 타고 이동할 수 있음 • 구어 사용은 어렵지만, 간단한 일상적인 대화는 이해할 수 있음 • 그림 상징을 이해하고, 오른손 손가락으로 상징을 지적할 수 있음 • 왼손은 항상 주먹이 쥐어진 채 펴지 못하고 몸의 안쪽으로 휘어져 있음

(나) 단원 지도 계획과 학생 지원 계획

대주제	이웃		
단원	마을과 사람들		
차시	차시명	학습 목표 및 활동	학생 지원 계획

8-9	우리 마을 둘러보기	○우리 마을의 모습을 조사한다.
		-마을 모습 이야기하기
		-조사 계획 세우기
		-마을 조사하기
		  • 건물, 공공장소 및 시설물 등을 조사하기
		  • 마을 사람들이 하는 일을 조사하기
			○미나
			-마을 조사 시 ㉠션트(shunt)에 문제가 발생하지 않도록 유의하기
			○현우
			-마을 조사 시 ㉡앞바퀴가 큰 휠체어 제공하기
			○은지
			-수업 중 ㉢스프린트(splint) 착용시키기
			-보완·대체 의사소통(AAC) 지원 계획하기
			  • (㉣)을/를 적용하여 평가하기
			  • 마을 조사 시 궁금한 내용을 질문할 수 있도록 ㉤어휘목록 구성하기

1) (가)에 제시된 미나의 특성을 고려할 때, (나)의 ㉠에 문제가 발생하지 않도록 하기 위해 교사가 유의해야 할 사항을 1가지 쓰시오.

2) (가)에 제시된 현우의 특성을 고려할 때, (나)의 마을 조사 활동 시 ㉡의 장점을 1가지 쓰시오.

3) 교사가 은지에게 (나)의 ㉢을 착용시킨 이유를 은지의 특성에 비추어 1가지 쓰시오.

41 [2015 중등B-논2]

다음 (가)는 병원학교에서 원적학교로 복귀를 준비하는 중도 뇌성마비 학생 A의 특성 및 관련 서비스 내용이고, (나)는 학생 A를 위해 병원학교 교사가 원적학교 교사에게 제안한 교실환경 구성안이다. (가)의 밑줄 친 ㉠, ㉡의 현상을 설명하고, 밑줄 친 ㉢의 방법적 특징을 밑줄 친 ㉠, ㉡과 연관지어 쓰시오. 그리고 (나)에서 학생 A의 특성을 고려하여 괄호 안의 ㉣~㉥에 들어갈 구체적인 내용을 쓰고, 그 이유를 각각 1가지씩 쓰시오.

(가) 학생 A의 특성 및 관련 서비스

구분	특성 및 관련 서비스
감각·운동 특성	• 대근육 운동 능력 분류 체계(GMFCS) V 수준임 • ㉠ 비대칭성 긴장성 경반사(ATNR)를 보임 • ㉡ 고유 수용성 감각 장애(proprioceptive dysfunction)를 보임
의사소통 방법	• 음성출력 의사소통기기와 트랙볼을 사용함 • 음성출력 의사소통기기를 활용하여 일상적 대화 및 수업 활동에 필요한 간단한 의사소통을 함
관련 서비스	㉢ 신경 발달 처치법(Neurodevelopmental treatment; NDT)으로 물리 치료를 주 3회 받기 시작함

(나) 학생 A를 위해 제안한 교실환경 구성안

고려사항
• 교실에서의 좌석 배치: (㉣) • 책상의 높이: (㉤) • 음성출력 의사소통기기와 트랙볼의 위치: (㉥)

42 [2016 유아A-6]

(가)는 유아특수교사인 박 교사와 송 교사의 대화이다. 물음에 답하시오.

(가) 두 교사의 대화

송 교사: 선생님, 동호의 운동 발달 평가 결과를 살펴보니까 운동발달이 지체되어 있더군요.
박 교사: 그래서 ㉠ 평가 결과에 근거해 운동 영역의 개별화교육계획을 작성하려고 해요.
송 교사: 네. 운동 영역의 개별화교육목표를 작성할 때에는 운동 기능의 발달원리를 알고 있어야 해요.
박 교사: 맞아요. ㉡ 운동 기능은 수직적인 동작에서 수평적인 동작으로 발달하지요. 그리고 ㉢ 운동 능력은 양방에서 일방으로 발달한다는 것도 알고 있어요.
송 교사: ㉣ 발달 영역 간에는 상호 관련이 있어서 운동 발달을 이해하기 위해서는 전체 발달 상황을 알아야 해요.
박 교사: 네. 그런데 동호는 ㉤ 한 계단에 두 발을 모았다가 그 다음 계단으로 오르내릴 수 있고, 가끔은 양발을 번갈아 가며 한 발씩 교대로 올라갈 수 있어요. 동호에게 양발을 번갈아 오르내리는 것을 숙달시키려면 구체적으로 어떻게 지도하면 될까요?
송 교사: 양발을 번갈아 가며 계단을 오르내리려면 몸의 균형 잡기가 중요한데, 그것은 활동 속에서 곡선 따라 걷기를 하면 도움이 될 수 있어요. 참고로 계단 오르내리기에서는 자신의 신체 위치, 자세, 평형 및 움직임에 대한 정보를 파악하여 중추신경계로 전달하는 감각인 (㉥)와/과 전정감각이 중요한 역할을 하지요.
박 교사: 네, 감사합니다.

3) (가)의 ㉥에 들어갈 말을 쓰시오.

43   2016 초등B-4

(나)는 은지의 특성이고, (다)는 교사가 은지에게 음성출력 의사소통기기를 사용하도록 지도하는 장면이다. 물음에 답하시오.

(나) 은지의 특성

- 경직형 사지마비인 뇌성마비로 진단받았음
- 오른손으로 스위치를 이용함
- 스캐닝(scanning : 훑기) 기법으로 음성출력 의사소통기기를 사용하여 의사소통함
- 휠체어에 앉아 있을 때의 모습은 다음과 같음

(다) 음성출력 의사소통기기 사용 지도 장면

김 교사:	ⓒ(음성출력 의사소통기기와 스위치를 은지의 휠체어용 책상에 배치한다.) 이 모둠에서는 은지가 한번 발표해 볼까요? (음성출력 의사소통기기와 은지를 번갈아 보며 잠시 기다린다.)
은 지:	(자신의 음성출력 의사소통기기를 본 후 교사를 바라본다.)
김 교사:	은지야, "양달은 따뜻해요."라고 말해 보자. (음성출력 의사소통기기에서 양달 상징에 불빛이 들어왔을 때, 은지의 스위치를 눌러 '양달은 따뜻해요.'라는 음성이 산출되도록 한다. 그런 다음 은지가 스위치를 누르는 것을 기다려준다.)
은 지:	(음성출력 의사소통기기에서 양달 상징에 불빛이 들어왔을 때, 스위치를 눌러 '양달은 따뜻해요.'라는 음성이 산출되도록 한다.)
김 교사:	(ⓒ)

2) (나)의 그림을 보고, 교사가 은지의 엉덩이(골반), 무릎, 발을 바르게 정렬하는 방법을 각각 쓰시오.

3) (다)의 ⓒ에서 교사가 ① 음성출력 의사소통기기와 ② 스위치를 적절하게 배치하는 방법을 (나)의 은지의 특성을 고려하여 각각 쓰시오.

①:

②:

44   2016 중등A-5

다음은 학생 A의 발작(seizure)에 대해 교사가 정리한 내용의 일부이다. 학생 A에게 나타난 발작의 유형을 쓰고, 밑줄 친 상황을 고려하여 학생 A가 수업에 참여할 수 있도록 교사가 수업 중에 지원해 줄 수 있는 방법 1가지를 쓰시오.

> 학생 A는 종종 전조나 전구 증상도 없이 잠깐 동안 의식을 잃고, 아무런 움직임 없이 허공만 응시하고 있었다. 말을 하다가도 순간적으로 말을 중단하고, 움직임이 없어지며 얼굴이 창백해졌다. 발작이 끝나면 아무 일도 없었던 것처럼 이전에 하던 활동을 계속 이어서 하지만 발작 중에 있었던 교실 상황은 파악하지 못하여 혼란스러워 했다. <u>학생 A는 수시로 의식을 잃기 때문에 수업의 내용을 많이 놓쳐 당황해 하기도 하고, 수업 내용을 이해하지 못하여 좌절하기도 했다.</u>

45   2016 중등B-4

다음은 지체중복장애 중학생 A의 자세 특성이다. 밑줄 친 ⊙과 ⓒ을 고려하여, 학생 A를 휠체어에 앉힐 때 몸통과 다리의 자세 유지 방법을 각각 1가지 쓰시오. 그리고 이 학생에게 적합한 서기 자세 보조기기의 명칭을 쓰고, 이 보조기기를 사용했을 때의 장점을 1가지 쓰시오.

> • 저긴장성 뇌성마비와 정신지체를 중복으로 지니고 있음
> • 낮은 근긴장도로 인해 상체와 하체의 조절 능력이 낮음
> • ⊙ 앉아 있을 때 양쪽 고관절과 무릎이 몸의 바깥쪽으로 회전됨
> • ⓒ 고개를 가누지 못하며 앉아 있을 때 머리와 몸통이 앞쪽으로 굴곡됨
> • 적절한 보조기기의 지원이 없이는 다양한 교육 활동에 참여하는 데 제한이 따름

46 | 2017 유아A-1

다음은 중복장애 유아 동우의 어머니가 유아특수교사인 김 교사와 나눈 상담 내용의 일부이다. 물음에 답하시오.

> 김 교사: 어머니, 가족들이 동우와 의사소통하는 데 어려움이 있다고 하셨지요?
> 어머니: 네. 동우는 ⑤ <u>근긴장도가 높아서 팔다리를 모두 움직이기가 어렵고, 몸을 움직이려고 하면 뻗치는 경우가 많잖아요.</u> 그리고 선생님께서 아시는 것처럼 시각장애까지 있어서, 말하는 것은 물론 눈빛으로 표현하는 것도 어려워해요. 가족들은 동우가 뭘 원하는지 알 수가 없어요.
> … (하략) …

1) ① ㉠에 해당하는 동우의 운동장애 형태 및 마비 부위에 따른 지체장애 유형을 쓰고, ② 이러한 장애 유아에게 앉기 자세를 지도할 때 ⓐ~ⓓ 중 적절하지 <u>않은</u> 것을 찾아 기호를 쓰고, 그 내용을 바르게 고쳐 쓰시오.

> ⓐ 골반이 등과 수직이 되게 하여 체중이 엉덩이 양쪽에 균형 있게 분산되도록 한다.
> ⓑ 의자에 앉았을 때 무릎 안쪽과 의자 사이의 간격은 1인치 정도가 되도록 하고 허벅지가 좌석에 닿도록 한다.
> ⓒ 발바닥은 바닥이나 휠체어 발판에 닿도록 하고, 무릎관절과 발목은 직각이 되도록 한다.
> ⓓ 몸통은 좌우대칭이 되도록 지지하고 어깨 관절은 활짝 펴 뒤쪽으로 향하도록 한다.

①:

②:

47　　　2017 유아B-4

(가)는 발달지체 유아 준희의 특성이고, (나)는 통합학급 교수활동 계획안의 일부이다. 물음에 답하시오.

(가)

- 장애명: 발달지체(언어발달지체, 뇌전증)
- 언어 이해: 3~4개 단어로 된 간단한 문장을 이해함
- 언어 표현: 그림카드 제시하기 또는 지적하기로 자신의 의사를 표현함

(나)

활동명	이럴 때 싫다고 말해요	대상 연령	5세
활동 목표	• ㉠성폭력 위험 상황에 대처한다. • 기분 좋은 접촉과 기분 나쁜 접촉을 구분하고 표현한다.			
활동 자료	동화『다정한 손길』|		
활동 자료 수정	상황과 주제에 적합한 그림카드, 수정된 그림동화, 동영상, 사진, PPT 자료 등			

활동 방법		
교사 활동	유아 활동	자료 및 유의점
	일반 유아 / 장애 유아	
1. 낯선 사람이 내 몸을 만지려 할 때 어떻게 해야 할지 이야기 나눈다.	(생략)	㉢준희를 위해 동화 내용을 4장의 장면으로 간략화한 그림동화 자료로 제시한다.
2. 동화『다정한 손길』을 들려준다.		
3. 동화 내용을 회상하며 여러 가지 유형의 접촉에 대해 이야기 나누고 기분 좋은 접촉과 기분 나쁜 접촉을 구별할 수 있게 한다.	㉡교사의 질문에 그림카드로 대답한다.	
4. 기분 나쁜 접촉이 있을 때 취해야 할 행동에 대해 알려 준다.		㉣준희에게 경련이 일어나면 즉시 적절히 대처한다.

… (하략) …

3) (나)의 ㉣에서 교사가 취해야 할 행동으로 적절하지 않은 것 2가지를 ⓐ~ⓔ에서 찾아 기호를 쓰고, 그 내용을 각각 바르게 고쳐 쓰시오.

> ⓐ 유아 주변의 위험한 물건을 치운다.
> ⓑ 경련을 진정시키기 위해 물이나 마실 것을 준다.
> ⓒ 유아와 함께 있으면서 목과 허리 부분을 느슨하게 해 준다.
> ⓓ 구토를 하면 질식할 수 있으므로 유아를 똑바로 눕히고 손으로 고개를 받쳐 들어 준다.
> ⓔ 경련을 하는 동안에는 경련을 저지하기 위해 유아의 몸을 억제하는 행동을 하지 않는다.

①:

②:

48 2017 초등A-3

(나)는 슬기로운 생활과 '가을 풍경 관찰하기' 현장체험학습 계획 시 중도·중복장애 학생들의 특성에 따라 교사가 고려해야 하는 사항이다. 물음에 답하시오.

(나)

학생 이름	특성	고려사항
영희	• 외상성 뇌 손상(교통사고) • 오른쪽 편마비, 인지적 손상, 언어장애를 보임	외출 전에 ⓒ상의(앞이 완전히 트인 긴소매) 입히는 순서 고려하기
철수	• 중도 지적장애와 경직형 뇌성마비 • 전신의 긴장도가 높아 머리가 뒤로 젖혀지고 다리는 가위자 모양이 됨	안아 옮길 때 자세에 유의하기 [A]
연우	• 중도 지적장애 • 알레르기성 천식을 앓고 있음 • 천식 발작 시 마른 기침을 하고 흉부 압박을 느끼며 고통을 호소함 • 천식 발작이 심한 경우 호흡곤란이 동반되고 의사소통이 어려움	• 외출 시 준비물(휴대용 흡입기, 마스크, 상비약, 도움요청 카드, 휴대용 손전등, 휴대용 알람기기 등) 점검하기 • ⓒ응급 상황 발생 시 도움을 요청하는 방법 환기하기

2) (나)의 ⓒ을 영희의 신체적 특성을 고려하여 쓰시오.

3) (나)의 [A]에서 보이는 문제점을 해결하기 위해 교사가 자신의 신체를 이용하여 철수를 안는 방법 1가지를 쓰시오.

49

2017 초등B-2

(가)~(나)는 지체장애 특수학교에서 제작한 '학생 유형별 교육 지원 사례 자료집'에 수록된 Q & A의 일부이다. 물음에 답하시오.

(가)

> Q 불수의 운동형 뇌성마비 학생 A는 노트필기가 어려워 쓰기 대체방법으로 컴퓨터를 이용하고 있는데, 불수의적 움직임으로 인해 어려움이 많습니다. 이러한 어려움을 해결해 줄 수 있는 보조공학 기기나 프로그램을 알고 싶습니다.
>
> A 학생 A처럼 직접선택 방식으로 글자를 입력하는 경우에는, 키가드와 버튼형 마우스 같은 컴퓨터 보조기기나 ㉠ 단어예측 프로그램이 도움이 됩니다.
>
> Q 학생 A가 읽기이해에 어려움이 있어 상보적 교수를 적용하여 읽기지도를 하려고 하는데, 상보적 교수 중 명료화하기 전략이 무엇인지 궁금합니다.
>
> A ㉡ 상보적 교수의 명료화하기 전략은 사전 찾기를 포함하여 학생이 글을 읽다가 어려운 단어가 있을 때 단어의 의미를 파악할 수 있도록 도와주거나, 글의 내용을 이해하도록 도와줍니다.

(나)

> Q 경직형 뇌성마비 학생 B는 높은 근긴장도로 인해 ㉢ 근육, 인대, 관절막의 길이가 짧아지고 변형되어 첨족 및 내반족, 척추 측만 등이 나타나고 있습니다. 그래서 바른 자세를 유지하기 위해 몸통 및 상체 지지형 휠체어 등의 보조기기를 사용하고 있습니다. 이와 같은 보조기기를 사용할 때 유의하여야 할 사항은 무엇인지 궁금합니다.
>
> A ㉣ 보조기기를 오랫동안 사용하게 되면 학생의 신체에 부정적인 영향을 줄 수 있습니다. 그래서 보조기기 사용에 대한 계획을 수립하는 것이 바람직합니다.

1) (가)의 ㉠을 사용할 때 학생 A에게 줄 수 있는 이점 1가지를 쓰시오.

3) (나)의 ㉢을 보일 때 사용할 수 있는 ① 보조기기의 예와 ② ㉣의 예를 각각 1가지씩 쓰시오.

①:

②:

50   2017 중등A-4

다음은 J고등학교 교사들의 대화 내용이다. ㉠에 공통으로 들어갈 병명을 쓰고, ㉡에 들어갈 내용을 1가지 쓰시오.

> 김 교사: 학생 K는 평소 서 있을 때 양쪽 어깨 높이에 차이가 있고, 몸통 좌우가 비대칭적으로 보였었는데 원인을 알 수 없는 청소년기 특발성 (㉠)(으)로 진단되었다고 합니다.
> 양 교사: 그런데 (㉠)은/는 뇌성마비나 근이영양증이 있는 학생에게도 종종 나타납니다. 그대로 방치하면 자세, 보행 및 심폐기능에도 영향을 줄 수 있기 때문에 적절한 치료와 함께 교육적 지원을 받아야 합니다.
> 박 교사: 우리 학급의 학생 M은 골형성부전증입니다. 친구들과 다른 신체적 특성 때문에 심리적으로 위축되지 않도록 사회·심리적 지원을 해주고 있습니다.
> 양 교사: 골형성부전증의 특성상 (㉡)의 위험이 있으므로 특히 신체활동이 많은 교수·학습 활동 시 주의해야 합니다.

51   2017 중등B-1

다음은 지체장애 학생 D의 특성이다. 뇌성마비 장애인의 대근육 운동 기능을 평가하는 ㉠의 평가 및 분류 방법상 특징을 1가지 쓰시오. 그리고 보조기기 ㉡이 적절한 이유를 신체 기능적 측면과 교수·학습 측면에서 각각 1가지씩 설명하고, 학생 D를 위한 식사 도구 선정 시 고려해야 할 사항을 ㉢에 비추어 1가지 제시하시오.

> 경직형 사지마비(spastic quadriplegia)가 있는 학생 D는 ㉠ 대근육 운동 기능 분류체계(Gross Motor Function Classification System : GMFCS)의 4수준으로, 휠체어를 이용해 이동한다. 대부분의 시간을 휠체어에 앉아 생활하지만, 교수·학습 장면에서는 종종 서기 자세 보조기기인 ㉡ 프론 스탠더(prone stander)를 사용한다. D는 ㉢ 강직성 씹기 반사(tonic bite reflex)가 일어나는 경우가 있어서 음식 섭취 시 주의를 기울일 필요가 있다.

52   2018 초등A-3

(가)는 지체장애 학생 미주와 영수의 특성이고, (나)는 교사가 2011 개정 특수교육 교육과정 중 기본 교육과정 사회과 5~6학년 '우리나라의 명절과 기념일' 단원을 지도하기 위해 개념 학습 모형에 따라 작성한 수업계획의 일부이다. 물음에 답하시오.

(가)

미주	• ㉠ 경직형 뇌성마비이며 오른쪽 편마비를 가짐 • 발화는 가능하나 발음은 부정확함
영수	• 독립적인 보행이 어려워 수동 휠체어를 사용함 • 보완·대체의사소통(AAC) 도구를 사용함

(나)

- 학습 내용 소개
  - ㉡ 텔레비전으로 국경일 동영상 시청하기
- (㉢)
  - 자신이 가장 기뻐하고 축하받은 날에 대해 ㉣ 이야기 나누기   [A]

↓

- 개념 제시
  - 국경일 관련 경험에 대해 이야기 나누기
  - 국경일 관련 특별 행사 참여 경험 나누기   [B]
  - 국경일 관련 특별 프로그램 시청 경험 나누기
- 개념에 대한 정의 내리기

↓

- 추가 사례 찾기
  - 삼일절, 제헌절, 광복절, 개천절, 한글날 관련 경험 발표하기
- 속성 분류하기

↓

1) (가)의 밑줄 친 ㉠을 고려할 때 (나)의 밑줄 친 ㉡ 활동에서 자세 지도를 위한 ① 미주의 자리 배치 방법과 ② 그 이유 1가지를 쓰시오.

①:

②:

4) 다음은 수동 휠체어 선택과 사용 시에 고려해야 할 사항이다. ⓐ와 ⓑ에 들어갈 내용을 순서대로 쓰시오.

- (ⓐ)은/는 학생이 고개를 가누는 정도에 따라 높이 조절이 가능하며 접을 수 있도록 제작된 경우가 많고, 적절한 자세를 위해서는 딱딱한 재질이 더 바람직함
- (ⓑ)은/는 학생의 식사 및 학습 활동, 의사소통 기기 등의 사용에 편리하지만, 휠체어의 무게와 전후좌우의 길이를 증가시키기 때문에 독립적인 이동에 불편을 초래할 수 있음

53   2018 중등A-10

다음은 보조공학 사정 모델의 단계별 주요 내용이다. 〈작성 방법〉에 따라 서술하시오.

사정 모델	(㉠)	
단계	주요 내용	유의점
학생 능력 [검토]	• (㉡) • 활동적인 과제를 수행함 • 다양한 방과 후 활동에 참가하고 있음	사례사, 관찰, 면담, 진단서 등 다양한 자료를 포함할 것
목표 [개발]	• 과제 수행과 다양한 방과 후 활동에 적극적으로 참가하기 • 이를 위한 휠체어 선정하기	목표 달성의 실현가능성에 대해 토론할 것
과제 [조사]	• 목표 달성에 필요한 다양한 과제조사 • ㉢과제 수행, 방과 후 활동과 관련한 구체적인 환경 및 맥락 조사	학교, 가정 등 다양한 장소에서 조사할 것
과제의 난이도 [평가]	각 과제별 난이도 평가	모든 과제에 대해 평가를 실시함
목표 달성 [확인]	• 과제 수행과 다양한 방과 후 활동에 적절한 휠체어 선정 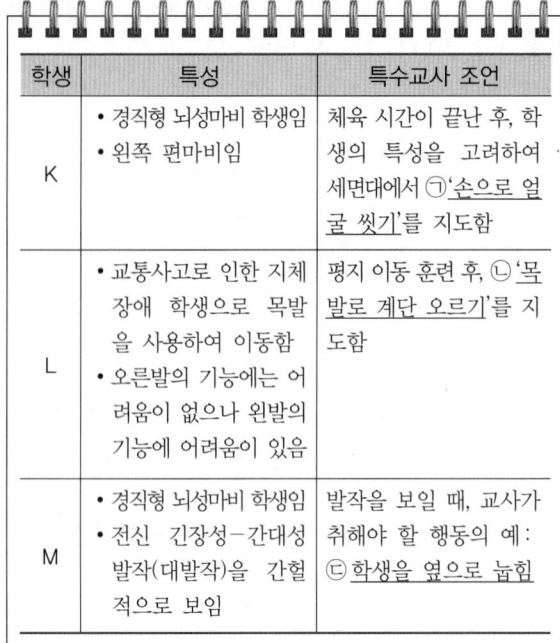 ㉣ • A는 왼쪽 바퀴에, B는 오른쪽 바퀴에 동력이 전달되도록 주행능력 평가	• 팔 받침대 높이를 낮게 하여 책상에 대한 접근성을 높임 • 활동공간에 따라 ㉤ 보조바퀴(caster)의 크기를 조정함

─〈 작성 방법 〉─
• ㉡에 들어갈 학생의 신체적 특성을 ㉣에 근거하여 적을 것
• 현장체험 학습을 갈 때 ㉤이 큰 휠체어를 사용하는 경우의 장점을 쓸 것

54   2018 중등A-14

다음은 교육실습생이 파악한 학생의 특성과 특수교사의 조언을 정리한 내용이다. 〈작성 방법〉에 따라 서술하시오.

학생	특성	특수교사 조언
K	• 경직형 뇌성마비 학생임 • 왼쪽 편마비임	체육 시간이 끝난 후, 학생의 특성을 고려하여 세면대에서 ㉠'손으로 얼굴 씻기'를 지도함
L	• 교통사고로 인한 지체장애 학생으로 목발을 사용하여 이동함 • 오른발의 기능에는 어려움이 없으나 왼발의 기능에 어려움이 있음	평지 이동 훈련 후, ㉡'목발로 계단 오르기'를 지도함
M	• 경직형 뇌성마비 학생임 • 전신 긴장성-간대성 발작(대발작)을 간헐적으로 보임	발작을 보일 때, 교사가 취해야 할 행동의 예: ㉢학생을 옆으로 눕힘

─〈 작성 방법 〉─
• 학생 K의 특성을 고려하여 밑줄 친 ㉠의 적절한 지도방법을 1가지 제시하고, 그 이유를 서술할 것
• 학생 L의 특성을 고려하여 밑줄 친 ㉡의 방법을 작성할 것(목발, 왼발, 오른발의 이동 순서와 방법을 포함할 것)
• 학생 M의 특성을 고려하여 밑줄 친 ㉢의 이유를 1가지 서술할 것

55　　2018 중등B-3

다음은 뇌성마비 학생 F의 특성과 지원 계획이다. 〈작성 방법〉에 따라 서술하시오.

학생	구분	내용
F	특성	• 경직형 뇌성마비 학생임 • ⓐ대칭성 긴장형 목반사(STNR)를 보임 • 식사를 한 후, ⓑ위식도 역류가 자주 발생함
	지원 계획	• 흡인을 예방하기 위해 ⓒ한 쪽이 낮게 잘린 컵을 사용하여 물을 마시도록 지도함 • 학생의 특성에 맞는 적절한 유형의 음식을 제공하고, ⓓ식사 후 적절한 자세를 취하도록 지도함

〈작성 방법〉
- 밑줄 친 ⓒ이 적절한 이유를 ⓐ의 특성에 근거하여 1가지 서술할 것
- 밑줄 친 ⓓ에 해당하는 것을 ⓑ를 고려하여 1가지 제시할 것

56　　2018 중등B-5

(가)는 중도·중복장애 학생 G의 특성 및 이 닦기 지도 시 유의사항이다. 〈작성 방법〉에 따라 서술하시오.

(가) 학생 G의 특성 및 이 닦기 지도 시 유의사항

특성	지도 시 유의사항
• 입 주변에 사물이 닿으면 깜짝 놀라면서 피함 • 거친 질감의 음식물이나 숟가락 등의 도구가 입에 들어오면 거부하는 반응을 보임	학생의 ⓐ감각적 측면과 ⓑ도구적 측면을 고려하여 지도할 것

〈작성 방법〉
- 학생 G의 특성에 근거하여 밑줄 친 ⓐ과 ⓑ에서 특수교사가 제공할 수 있는 지원방법을 각각 1가지 서술할 것

57 2019 초등A-6

다음은 성재를 위한 교육 지원 협의회 회의록의 일부이다. 물음에 답하시오.

일시	2018년 ○월 ○일 15:00~16:00		
장소	특수학급	기록자	특수교사
참석자	통합학급 교사, 특수교사, 보건교사, 치료지원 담당자, 전문상담교사, 보호자		
발언 내용			

… (전략) …

보건교사: 성재는 경직형 양마비 지체장애 학생인데, 뇌전증도 있어요. 성재는 지난 4월에 교실에서 온 몸이 경직되고 호흡 곤란이 오면서 입에 침이 고이고 거품이 입 밖으로 나오는 격렬한 발작을 했습니다. 선생님, 많이 놀라셨지요?

통합학급 교사: 처음이라서 많이 당황했어요. 갑자기 그런 일이 생기니까 아무 생각도 나지 않더라고요. 혀를 깨물어 피가 날 수도 있을 것 같아 수건을 물려줄까 고민했습니다. 그런데 발작은 다 똑같은 형태로 나타나나요?

보건교사: 아니요. 발작 형태는 다양합니다. 그때 성재가 보인 발작은 (㉠)에 해당합니다. 그리고 발작할 때 입에 수건을 물려 주면 (㉡) 때문에 위험할 수 있습니다.

… (중략) …

특수교사: 성재는 매트 위에 앉아서 놀 때 ㉢<u>양다리를 좌우로 벌려 W모양으로 앉던</u>데, 괜찮나요?

치료지원 담당자: 그런 자세가 계속되면 서기나 걷기 그리고 일상생활에도 문제가 생길 수 있어서 자세 지도가 필요합니다.

보 호 자: 아, 그렇군요. 성재는 집에 오면 휠체어에 앉아서 지내는 시간이 많아요. ㉣<u>휠체어에 바르게 앉는 자세</u>에 대해서 알고 싶습니다.

치료지원 담당자: 무엇보다 신체의 정렬 상태가 안정적이며 균형 잡힌 상태를 유지하는 것이 중요합니다.

특수교사: 맞아요. 저희 교실에서도 서기 자세를 지도하고 있습니다. 다행히 성재는 자기 스스로 목을 가눌 수 있고, 상체 조절이 어느 정도 가능합니다. 그래서 선 자세에서 체중을 앞으로 실은 채 자세를 조금 기울여 두 손을 쓸 수 있도록 (㉤)을/를 사용하고 있어요.

… (하략) …

1) ① ㉠에 들어갈 발작의 유형을 쓰고, ② ㉡에 들어갈 말을 쓰시오.

①:

②:

2) 다음 그림은 ㉢ 자세이다. 이와 같이 앉는 이유를 1가지 쓰시오.

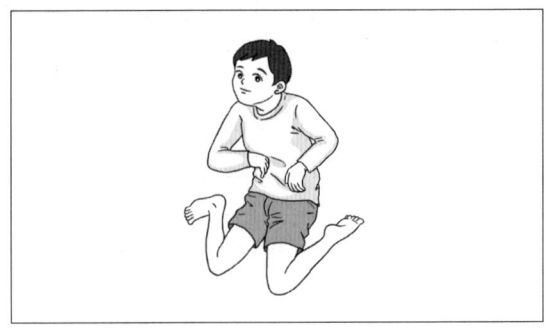

3) 다음은 ㉣을 위한 일반적인 지도 요령이다. 적절하지 않은 것 1가지를 찾아 기호를 쓰고 바르게 고쳐 쓰시오.

| ⓐ 하지: 양쪽 다리의 길이가 다르더라도 휠체어 발판의 높이는 같게 한다. |
| ⓑ 골반: 체중이 고르게 분산되도록 좌석의 중심부에 앉게 한다. |
| ⓒ 몸통: 어깨선을 수평으로 맞추고, 어느 한쪽으로 치우치지 않고 정중선을 유지하게 한다. |
| ⓓ 머리: 고개를 들고 턱을 약간 밑으로 잡아당기는 자세를 유지하게 한다. |

4) ㉤에 들어갈 적절한 보조기기의 명칭을 쓰시오.

58   2019 중등B-6

다음은 지체장애 ○○특수학교의 특수교사와 특수교육공무직원 간에 나눈 대화 내용이다. 〈작성 방법〉에 따라 서술하시오.

교육공무직원:	선생님, 학생 K와 L은 모두 뇌성마비가 있는데 그 특성이 서로 달라 보여요.
특 수 교 사:	네. ㉠<u>학생 K의 뇌성마비 유형은 경직형이고, 학생 L은 무정위 운동형입니다.</u> 뇌성마비는 뇌의 손상 부위에 따라 다른 운동 패턴을 보이는데 경직형 뇌성마비는 (㉡)에 손상을 입은 경우이고, 무정위 운동형은 동작 조절에 기여하는 기저핵 손상이 원인이라고 알려져 있어요. 뇌성마비 학생들은 경련, 시각장애, 그리고 청각장애와 같은 부수적인 장애를 보이는 경우도 많지요.
교육공무직원:	학생 K의 식사 보조를 하다보면 목을 움직일 때 갑자기 팔이 뻗쳐져서 놀란 적이 있었어요.
특 수 교 사:	학생 K는 ㉢<u>원시반사</u> 운동이 남아 있습니다.
… (하략) …

─〈작성 방법〉─
- 밑줄 친 ㉠에서 제시된 뇌성마비 유형 2가지의 신체 운동 특성을 근긴장도 이상의 측면에서 각 1가지씩 서술할 것
- 괄호 안의 ㉡에 들어갈 용어를 쓸 것
- 밑줄 친 ㉢의 개념을 쓰고, 지속적 원시반사의 문제점 1가지를 서술할 것(단, 원시반사 소실 이후 나타나야 하는 전형적 운동발달 특성에 비추어 서술할 것)

59   2020 유아A-2

(가)는 5세 뇌성마비 유아 슬기의 특성이다. 물음에 답하시오.

(가)

- 사지를 불규칙하게 뒤틀거나, 팔다리를 움찔거리는 행동을 보임
- 사물에 손을 뻗을 때 손바닥이 바깥쪽으로 틀어지며 의도하지 않는 방향으로 움직임이 일어남
- 정위반응과 평형반응이 결여되어 자세가 불안정함

1) (가)에 근거하여 슬기의 운동장애 유형을 쓰시오.

60 | 2020 초등B-2

(가)는 지체장애 특수학교에 다니는 학생들의 특성이고, (나)는 2015 개정 특수교육 교육과정 중 기본 교육과정 실과 5~6학년군 '즐거운 여가 생활' 단원 수업 활동 계획의 일부이다. 물음에 답하시오.

(가) 학생 특성

예지	• 안면견갑상완형 근이영양증 • 어깨뼈가 날개같이 튀어나와 있음 [A] • 팔을 들어 올리는 데 어려움이 있음 • ㉠ 휘파람 불기, 풍선 불기, 빨대로 물 마시기 동작에 어려움이 있음
준우	• 경직형 뇌성마비 • 사지마비가 있음 • 모든 운동 기능이 제한적임 [B] • 머리 조절이 어렵고, 체간이 한쪽으로 기울어짐
은수	• 골형성부전증 • 좌측 하지 골절로 이동에 어려움이 있음

(나) 수업 활동 계획

활동	영화 관람	활동 장소	영화관
학습 목표	영화 관람 순서에 따라 영화를 관람할 수 있다.			
교수·학습 활동	• 영화 포스터 살펴보기 • 영화 입장권 구입하기			
지도의 유의점	• 준우: 화장실 이용 시 보조인력의 추가 지원이 요구됨. 휠체어에서 양변기로 이동시키기 위해 보조인력은 준우의 무릎과 발목 뒤쪽을 지지하고, 교사는 (㉡) • 은수: 상영관에서 ㉢ 양쪽 목발을 사용하여 손잡이 없는 계단을 내려갈 때와 올라갈 때 주의하도록 함 • 왕복 이동 시간(1시간)과 영화 관람 시간(2시간)을 고려하여 오후 1시부터 4시까지 ㉣ 수업시간을 연속적으로 배정함(실과와 창의적 체험활동 연계)			

1) ① (가)의 [A]를 고려하여 ㉠의 이유를 쓰고, ② '대근육운동 기능 분류체계(Gross Motor Function Classification System Expanded and Revised: GMFCS-E&R, 6~12세)'에서 [B]가 해당되는 단계의 이동 특성을 이동보조기기와 관련지어 쓰시오.

①:

②:

2) ① (나)의 ㉡에 들어갈 교사의 행동을 준우의 신체와 관련지어 쓰고, ② (가)에 제시된 은수의 특성을 고려하여 (나)의 ㉢을 지도할 때 목발과 발의 내딛는 순서를 쓰시오.

①:

②:

61

2020 중등B-10

(가)는 ○○중학교에 재학 중인 지체장애 학생 3명의 특성이고, (나)는 체육교사가 이를 바탕으로 작성한 지도 계획의 일부이다. 〈작성 방법〉에 따라 서술하시오.

(가) 특성

학생	특성
L	• 뇌성마비 • 뇌손상 부위와 마비 부위는 다음과 같음 （뇌손상 부위 / 마비 부위: 우측 편마비 / 손상부위 및 정도: 심함）
M	• 뇌성마비 • 소뇌 손상으로 발생함 • 평형이나 균형을 잡기 위한 협응이 잘 이루어지지 않음 • 다리를 넓게 벌리고, 팔을 바깥쪽으로 올리고 걷는 형태를 보임
N	• 듀센형 근이영양증 • 초등학교 시기에는 다음과 같은 신체 특성이 있었음 ㉠ 가성비대　㉡ 앉아 있다 일어설 때의 자세

(나) 지도 계획

학생	지도 시 유의사항
L	• 신체의 양쪽을 사용하도록 지도하기 • 체육복 착·탈의 점검하기 （단기목표: ㉢ 체육복 바지 입기）
M	• 신체 활동 시 충분한 시간 주기 • 대근육 활용 촉진하기
N	• 신체 이완 및 심리적 지원하기 • 피로도 최소화하기

〈작성 방법〉

• (가)의 학생 M의 특성에 근거하여 학생 M의 운동장애 유형을 쓸 것
• (가)의 그림 ㉠이 나타나는 이유를 1가지 서술하고, 그림 ㉡에 해당하는 용어를 1가지 쓸 것
• (나)의 밑줄 친 ㉢의 절차를 학생 L의 마비 부위를 고려하여 서술할 것

62 | 2021 초등B-1

(가)는 미나의 개별화교육지원팀 회의록이다. 물음에 답하시오.

(가) 개별화교육지원팀 회의록

일시	2020년 ○월 ○일 16:00~17:00
장소	△△학교 열린 회의실
협의 내용 요지	1. 대상 학생의 현재 장애 특성 • 대뇌피질의 손상이 원인 • 근육이 뻣뻣하고 움직임이 둔함 [A] • 양마비가 있음 • 까치발 형태의 첨족 변형과 가위 모양의 다리 • ⊙ 대근육 운동 기능 분류 시스템(Gross Motor Function Classification System : GMFCS) 4단계 • ⓒ 수동 휠체어 사용 2. 대상 학생의 교육적 요구 파악 • ⓒ 표준 키보드를 사용하여 입력하는 데 어려움이 있음 • 구어 사용을 위한 보완대체의사소통 지원 요청 3. 학기 목표, 교육 내용의 적절성 확인 및 평가 계획 안내 … (중략) … 4. 특수교육 관련서비스에 대한 협의 사항 • 교육용 보조공학기기 • 특수교육실무원 • 물리치료 • (ⓔ) 5. 기타 지원 정보 • 방과후 학교, 종일반 참여 여부

1) ① (가)의 [A]에 나타난 미나의 뇌성마비 유형을 쓰고, ② ⊙에서 가능한 ⓒ의 사용 능력을 쓰시오.

① :

② :

63 | 2021 중등B-6

(가)는 ○○중학교에 재학 중인 지체장애 학생의 특성이고, (나)는 교사가 이를 바탕으로 작성한 지도 계획이다. 〈작성 방법〉에 따라 서술하시오.

(가) 학생 특성

학생	특성
G	• 중도 뇌성마비 • 앉기 자세 유지가 어려우며 신체 피로도가 높음 • 등을 대고 누운 자세에서 과도한 신전근을 보임 • 배를 대고 엎드린 자세에서 과도한 굴곡근을 보임
H	• 뇌성마비 • 양손 사용이 가능함 • 손 떨림 증상이 있어 키보드로 정확하게 입력하는 것이 어려움

(나) 지도 계획

학생	지도 계획
G	• ⊙ 대안적 자세로 과제에 참여할 수 있도록 지원하기 • ⓒ 헤드포인팅 시스템을 활용하여 워드프로세서 입력 지도하기 • ⓒ 휠체어 이용 시 휠체어가 뒤로 기울어지지 않도록 주의하기
H	• 키보드 입력 시 키가드를 제공하고, 한 번에 같은 키 값이 여러 번 찍히지 않도록 ⓔ 고정키 시스템 기능 설정하기 • 철자 중 일부를 입력하여 단어 완성하기가 가능한 ⓜ 단어 예측 프로그램 지도하기

〈작성 방법〉
• (가)의 학생 G가 보이는 원시반사 형태를 1가지 쓰고, 이에 근거하여 (나)의 밑줄 친 ⊙을 설명할 것
• (가)를 고려하여 (나)의 밑줄 친 ⓒ~ⓜ 중 틀린 곳 2가지를 찾아 기호를 쓰고, 그 이유를 각각 서술할 것

64 2022 유아A-4

(가)는 유아특수교사 김 교사가 지체장애 유아 진수에 대해 작성한 일지의 일부이고, (나)는 김 교사와 진수 어머니의 대화이다. 물음에 답하시오.

(가)

바깥 놀이터에서

(진수는 놀이를 하는 친구들을 보고 있음)
민지 : 진수야, 너도 같이 할래?
진수 : 아니.
교사 : 진수도 같이 놀고 싶니?
진수 : 네. 놀고 싶어요.
교사 : 근데 왜 민지에게 "아니"라고 했어?
진수 : 넘어질까봐 무서워요.
교사 : 그러면 민지에게 넘어질까봐 무섭다고 말하렴.
민지 : 선생님, 진수랑 같이 놀고 싶은데, 어떻게 해야 할지 모르겠어요.

[고민]
ㅁ 진수는 하지근육이 약해져서 자세가 불안정하고 자주 넘어지며 뛰는 것을 힘들어한다.
ㅁ 모든 유아가 놀이에 참여할 수 있는 방법은 무엇일까?

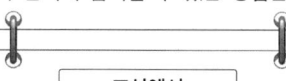

교실에서

교사 : 오늘은 진수와 어떻게 하면 함께 놀 수 있을지 얘기해 볼까요?
민지 : 진수랑 같이 교실에서 놀아요.
지은 : 뛰지 말고 앉아서 엉덩이 걸음으로 놀이해요.
인호 : 기어서 놀이하면 더 재밌을 것 같아요.
미주 : 술래도 앉아서 해요. 그럼 진수도 술래 할 수 있어요.   [A]
교사 : 진수의 생각은 어떤지 들어 볼까?
진수 : 나도 같이 놀아서 너무 기뻐.
인호 : 진수야, 넌 나랑 기어갈래?
진수 : 나는 걸어서 갈 수 있어. 뛰지만 않으면 돼.
민지 : 그럼, 우리 뛰는 것만 빼고, 걷거나, 기거나, 엉덩이 걸음으로 게임하면 좋겠어.

[성찰]
ㅁ 유아들은 놀이를 계획하면서 적극적으로 자신의 생각을 말하고 친구들과 사이좋게 지내려고 하였다. 앞으로도 이러한 시간을 자주 가져야겠다.
ㅁ 유아들의 제안에 따라 '사과반 꽃이 피었습니다' 놀이를 하였다. 유아들은 교실에서 다양한 동작으로 재미있게 놀았고, 진수도 자신감 있게 적극적으로 놀이에 참여하는 모습을 보니 흐뭇했다.
ㅁ ㉠ 진수의 사회·정서 발달영역 목표 '상황에 맞게 자신의 감정을 말로 표현할 수 있다.'를 다양한 놀이에 삽입하여 연습할 수 있게 하였다.

(나)

진수 어머니 : 선생님, 요즘 진수는 유치원에서 어떻게 지내나요?
김 교 사 : 네, 친구들과 함께 하는 활동들도 재미있게 하고 적응도 잘 하고 있어요. 친구들과 함께 신체활동 하는 것을 좋아하는데 넘어지기도 해서 진수의 안전을 고려한 활동으로 수정해서 하고 있어요.
진수 어머니 : 신경써 주셔서 감사해요. 진수가 넘어질 때마다 저도 걱정이 많거든요.
김 교 사 : 네, 걱정이 많이 되시죠? 그러시면 ㉡ 진수가 걷는 것을 도와줄 수 있는 보조기기를 이용해 보시는 것은 어떠세요? 물론 운동도 병행해야 하구요.
진수 어머니 : 그러면 집에서 저랑 같이 할 수 있는 운동이 있을까요?
김 교 사 : 네. 우리 반에서 했던 신체활동 중에 집에서도 할 수 있는 방법을 알려드릴게요.

2) (나)의 ㉡에 해당하는 보행 보조기기를 1가지 쓰시오.

65 2022 초등B-2

다음 (가)는 초등학교 2학년 혜지의 특성이고, (나)는 혜지의 발에 착용하는 보장구이다. 물음에 답하시오.

(가) 혜지의 특성

- 뇌성마비 학생이며, 시각적 정보 처리에 어려움이 있어 그림을 명확하게 변별하기 어려움
- 비정상적인 근긴장도로 인해 자세를 자주 바꿔 주어야 함
- ㉠ 바로 누운 자세에서 긴장성 미로반사가 나타남

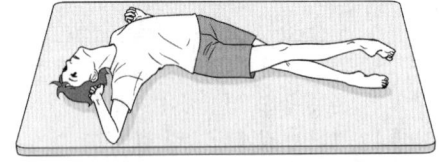

(나) 혜지의 보장구

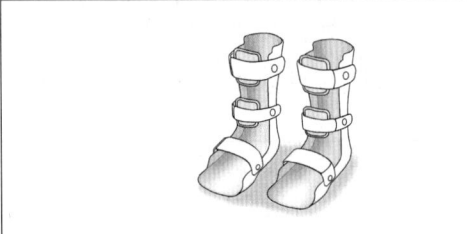

1) 교실에는 혜지의 자세유지용 보조기기가 없는 상황이다. 교사가 혜지의 뒤에서 등을 받치고 옆으로 눕혀 악기 연주 활동에 참여시키고자 할 때, ① ㉠의 특성을 고려하여 혜지가 옆으로 누운 자세를 유지할 수 있도록 교사가 가장 먼저 해 주어야 할 자세 조절 방법을 쓰고, ② 혜지가 (나)의 보장구를 착용하는 이유를 쓰시오.

① :

② :

66 2022 중등A-11

(가)는 지체장애 학생 E, F, G의 특성이고, (나)는 교육실습생이 (가)를 바탕으로 작성한 지도 시 유의사항이다. 〈작성 방법〉에 따라 서술하시오.

(가) 특성

학생	특성
E	• 추체계와 운동피질의 손상으로 인한 뇌성마비임 • 근 긴장도가 높고 근육이 뻣뻣해지며 가위 모양 자세를 보임 • 비대칭성 긴장형 목반사(ATNR)를 보임 • 위식도 역류를 보이며, 강직성 씹기반사가 나타남
F	• 사지마비 뇌성마비임 • 고개를 가누지 못하고, 앉아 있을 때 머리와 몸통이 앞쪽으로 굴곡됨 • 다른 사람의 도움을 받아 수동 휠체어로 이동함
G	• 뇌성마비로 대근육운동기능체계(GMFCS) 3수준임 • 실내에서 손으로 잡는 이동 기구를 사용하여 이동할 수 있음 • 보행 시 신체의 무게중심이 앞으로 기울어지는 경향을 보임

(나) 유의사항

학생	특성
E	• ㉠ 수업 활동 시 학생 E 옆에 가까이 서서 지도하기 • ㉡ 식사 시 실리콘 재질의 숟가락이나 포크 사용하기
F	• ㉢ 휠체어에 앉을 때 머리 지지대와 어깨 지지대를 활용하여 신체 정렬하기 • ㉣ 수업 활동 시 대안적인 서기 자세를 취할 수 있도록 프론스탠더 활용하기
G	• ㉤ 계단을 오르내릴 때 난간을 잡고 이동하도록 지도하기 • 교실 및 복도에서 ㉥ 워커를 사용하여 이동하기

〈작성 방법〉

• (가)에 제시된 학생 E의 운동장애에 따른 뇌성마비 유형을 쓸 것
• (가)의 학생별 특성을 고려하여 (나)의 밑줄 친 ㉠∼㉤ 중 적절하지 않은 것 2가지를 찾아 기호와 함께 그 이유를 각각 서술할 것
• (가)에 제시된 학생 G의 특성을 고려하여 (나)의 밑줄 친 ㉥의 종류를 쓸 것

67

다음은 통합학급 교사들이 준우에 관해 나눈 대화의 일부이다. 물음에 답하시오.

박 교사: 선생님, 준우가 듀센형 근이영양증(Duchenne's muscular dystrophy)인데, 신체 활동할 때 고려할 점에 관해 협의해 보아요.

김 교사: 네, 준우가 ㉠ 걷기 능력을 가능한 한 오랫동안 유지할 수 있도록 해요.

박 교사: 그리고 ㉡ 근력 약화도 지연되도록 해야겠어요.

김 교사: 근력 운동은 무게가 있는 물건을 사용하면 어떨까요?

박 교사: 네, 하지만 너무 무거운 것은 피해야 할 것 같아요. 그리고 ㉢ 가성비대가 나타나는 근육은 사용하지 않도록 하는 것이 중요해요.

김 교사: 근력 운동뿐만 아니라 유산소 운동도 꼭 포함해야겠어요. 준우가 비만이 심해질수록 움직이기 더 힘들어하는데, 고정형 자전거를 타게 하면 어떨까요?

박 교사: 좋아요. 준우가 타다가 ㉣ 힘들어서 피로하다고 하더라도 몇 분 더 타도록 지도할게요. 그리고 준우뿐만 아니라 다른 유아들도 타다가 넘어질 수 있으니, ㉤ 고정형 자전거 주변의 물리적 환경을 수정해야겠어요.

… (중략) …

박 교사: 준우의 용변 처리를 지도할 때 엉덩이를 보니 일부 피부가 빨간색이었고 시간이 지난 후 다시 보아도 원래 피부색으로 잘 돌아오지 않았어요.

김 교사: 그렇죠. 준우 아버지께서도 준우가 집에서 의자에 좋은 자세로는 앉아 있지만 너무 오랫동안 앉아 있다고 걱정하셨어요. 교실에서도 선생님께서 알려 준 방법대로 의자에 바르게 앉아 있기는 하지만 한번 앉으면 잘 일어나려고 하지 않아요. [A]

박 교사: ㉥ 의자 위에 특수 쿠션을 올려놓고 준우가 앉을 수 있도록 해야겠어요.

김 교사: 보조기기를 사용하는 것 외에 다른 방법은 무엇이 있나요?

박 교사: 일과 중에도 수시로 (㉦)을/를 해야 해요. 그리고 피부를 관찰하고 점검해서 피부의 청결, 습기, 온도, 상처, 감염 여부를 확인하여 조치해요. 균형 있는 영양 섭취, 용변 처리, 비만 등에 대한 지도가 필요합니다.

---

1) ㉠~㉣ 중 잘못된 내용을 2가지 찾아 그 기호를 쓰고, 각각을 바르게 고쳐 쓰시오.

① :

② :

3) [A] 상황을 고려하여 ① ㉥을 사용할 때 기대되는 효과를 쓰고, ② ㉦에 들어갈 교사의 지원 내용을 1가지 쓰시오.

① :

② :

68

2023 초등B-5

(가)는 중도 지적장애와 지체장애를 중복으로 가지고 있는 학생 민수의 특성이다. 물음에 답하시오.

(가) 민수의 특성

- 몸통과 사지의 조절 능력이 부족함
- 스스로 머리 가누기가 어렵고, 서서 하는 활동 시에는 자세 보조기기가 필요함
- ⊙ 요구하는 상황에서 '으', '거' 등의 소리를 내거나 가지고 싶은 물건이 있으면 몸을 앞뒤로 흔드는 행동으로 표현함

1) (가)를 참고하여 민수에게 필요한 자세 보조기기를 쓰시오.

69 2023 초등B-6

(가)는 건강장애 학생과 지체장애 학생의 특성이고, (나)는 체육 전담교사와 특수교사가 나눈 대화의 일부이다. 물음에 답하시오.

(가) 학생 특성

학생	특성
주호	• 만성적인 심장 질환을 가지고 있음 • 추운 날씨에는 청색증이 나타남 • 호흡기 계통 질환이 잦아 현장 체험 등에서 주의가 필요함 • 최근 병원에서 퇴원하여 계속적인 통원 치료를 받고 있음
세희	• 뇌성마비를 가지고 있음 • 일상생활 중 근긴장의 변화를 자주 보이며, 상지와 몸통이 본인의 의지와 상관없이 움직임 • 대근육 운동기능 분류체계(GMFCS) 5단계에 속함 ⎤ • 현재 스캐닝 기법을 이용하여 보완대체 의사소통 기기를 사용하고 있음 [A] • 야외 활동을 할 때에는 특수 전동 휠체어를 사용함 ⎦

(나) 대화 내용

 체육전담교사: 주호가 퇴원했다고 들었는데 특수교육대상자로 선정되었나요?

 특수교사: 네, ㉠ 건강장애를 가진 특수교육대상자로 선정되었습니다. 주호처럼 계속적인 의료적 지원이 필요한 경우에는 건강장애로 선정될 수 있습니다.

 체육전담교사: 다음 주에 유산소 운동 중심 수업을 계획하고 있는데, 제가 주호를 위해 주의해야 할 점이 있나요?

 특수교사: 과격한 운동은 피하게 하고, 중간에 쉴 수 있도록 해 주세요. 주호에게는 ㉡ 걷기나 가볍게 달리기 등의 유산소 운동이 도움이 됩니다.

 체육전담교사: 얼마 전 수업시간에 세희가 휠체어에서 뒤로 넘어질 뻔 했거든요. 어떤 모습이었냐면요, 갑자기 양팔이 활처럼 바깥으로 펼쳐지면서 뻗히다가 팔이 다시 안쪽으로 모아지는 모습이었어요. 정말 놀랐습니다. ⎤
                                                                                                                      [B]
 특수교사: 갑자기 큰 소리가 났을 때 보이는 원시반사 중의 하나인데요. 가급적이면 갑작스러운 소음이나 움직임을 피해 주시는 것이 좋습니다. ⎦

1) (가)의 [A]를 고려하여 특수 전동 휠체어를 운행하기 위한 보조공학기기를 1가지 쓰시오.

2) [B]의 대화에서 알 수 있는 원시반사 유형을 쓰시오.

70

2023 중등A-11

(가)는 지체장애 특수학교에 재학 중인 학생의 특성이고, (나)는 특수 교사와 지원인력이 나눈 대화의 일부이다. 〈작성 방법〉에 따라 서술하시오.

(가) 학생의 특성

학생	특성
A	• (㉠) 이분척추 • 신경계 일부가 돌출된 상태로 태어남 • 뇌수종으로 인한 지적장애 • 방광 조절 기능장애 • 하지마비
B	• 대뇌피질(cerebral cortex) 손상 • ㉡ 비대칭성 긴장성 목반사(ATNR)가 남아 있음 • 경직형 뇌성마비
C	• 대뇌피질(cerebral cortex) 손상 • ㉢ 대칭성 긴장성 목반사(STNR)가 남아 있음 • 전신발작 • 경직형 뇌성마비

(나) 특수 교사와 지원인력의 대화

특수 교사: 선생님, 학생 B와 학생 C는 원시반사가 있으니, 주의해서 지원해 주시기 바랍니다.
지원인력: 어떻게 지원하면 될까요?
특수 교사: 학생 B와 C는 휠체어를 이용할 때 머리를 움직이지 않도록 하여 팔과 다리의 신전과 굴곡을 최소화하는 것이 중요합니다. 학생 B는 (㉣), 왼쪽 방향의 팔과 다리가 신전되고 반대편 팔과 다리는 굴곡됩니다. 학생 C는 (㉤), 양팔은 신전되고 양 다리는 굴곡됩니다.
… (중략) …
특수 교사: 선생님, 학생 C는 전신발작이 있으니 전조 증상에 유의해서 관찰해 주세요.
지원인력: 평소와 다른 특이한 행동이나 감각 반응 등을 관찰하면 되겠군요.
특수 교사: 네. 발작이 시작되면 의식이 없어지고, 온몸이 경직되며 호흡 곤란과 격렬한 발작으로 인해 신체적 상해를 입기도 해요. 근육이 수축과 이완을 반복하며 몸 전체가 심하게 흔들립니다. 대부분 발작은 3~5분 안에 끝나고 힘이 빠진 상태에서 주로 잠이 듭니다. 그리고 발작이 진정되면 꼭 휴식을 취하게 해 주세요. [㉥]
… (하략) …

〈작성 방법〉

• (가)의 학생 A의 특성에 따라 괄호 안의 ㉠에 들어갈 이분척추의 유형을 쓸 것
• (가)의 밑줄 친 ㉡과 ㉢에 근거하여 (나)의 괄호 안의 ㉣과 ㉤에 해당하는 내용을 순서대로 서술할 것
• (나)의 ㉥에 해당하는 전신발작의 명칭을 쓸 것

71　　　　　　　　　　　　　　　　2023 중등B-4

(가)는 특수학교에 재학 중인 학생 C의 의사소통 특성이고, (나)는 지도 교사가 교육실습생과 학생 C의 대화 장면을 관찰하여 작성한 메모이다. 〈작성 방법〉에 따라 서술하시오.

(가) 학생의 의사소통 특성

학생	의사소통 특성
C	• 조음과 관련된 근육의 협응이 잘 이루어지지 않음 • 말 명료도가 낮고, 자음에서의 조음 오류가 두드러짐

(나) 지도 교사의 메모

상황	대화	관찰
• 학생 C가 잘 볼 수 있는 위치에서 그림카드를 가리키며 발음을 지도함	• 교육실습생: 선생님을 따라 이런 자세로 말해 보세요. ⓒ /감/, /코/ • 학생 C: /더/, /으/	• ㉣ <u>조음기관을 최소한으로 움직여 정조음을 훈련할 수 있는 자세를 활용하여 지도함</u>

─〈작성 방법〉─
• (나)의 밑줄 친 ㉣에 해당하는 자세 1가지를 서술할 것(단, 밑줄 친 ⓒ의 초성에 근거할 것)

72

2023 중등B-5

(가)는 신규 교사와 수석 교사가 나눈 대화의 일부이고, (나)는 배변 훈련 계획의 일부이다. 〈작성 방법〉에 따라 서술하시오.

(가) 신규 교사와 수석 교사의 대화

> 신규 교사: 2022년 6월에 일부 개정된 장애인 등에 대한 특수교육법 시행령에서 중도중복장애를 지닌 특수교육 대상자에 대한 선정 기준이 보다 명료해졌다고 들었습니다.
>
> 수석 교사: 네. 그렇습니다. 중도중복장애는 지적장애 또는 자폐성장애를 지니면서 시각장애, 청각장애, 지체장애, (㉠) 중 하나 이상을 가지고 있어야 합니다.
>
> 신규 교사: 시각과 청각 모두 장애의 정도가 심하여 두 감각에 의한 학습활동이 곤란한 경우도 중도중복장애로 분류되나요?
>
> 수석 교사: ㉡ <u>아닙니다.</u>
>
> … (중략) …
>
> 신규 교사: 중도중복장애 학생의 보호자가 교과교육을 강하게 요구하고 있어요. 하지만 우리 반 학생들의 장애 정도가 너무 심하다보니 교과지도보다는 식사지도와 배변지도에 치중하게 되는 것 같아요.
>
> 수석 교사: 물론 교과지도도 중요합니다. 그러나 상위 욕구와 하위 욕구로 욕구의 위계를 설명하였던 매슬로우(A. Maslow)에 따르면, (㉢)(이)라고 합니다. 중도중복장애 학생의 생리 및 안전의 욕구를 고려하여 이를 충족하기 위한 기능적 기술을 우선적으로 가르치는 것이 중요합니다. 기본적인 생리·안전이 제공되었을 때 비로소 학습이 이뤄진다고 생각합니다.

(나) 배변 훈련 계획

단계	내용	지도 중점
사전 단계	배변일지 작성	매 15~30분 간격으로 기록
1단계	㉣ <u>습관 훈련하기</u>	반복적 훈련을 지속적으로 실시
2단계	스스로 시도하기	다양한 신호 관찰
3단계	독립적으로 용변 보기	일반화 및 유지

〈지도상 유의사항〉
- 학생의 자율성 존중
- 개인 사생활 보호 및 인권 존중
- 훈련 효과를 높이기 위해 가정과 유기적으로 협력

〈작성 방법〉

- (가)의 괄호 안의 ㉠에 해당하는 장애명을 쓰고, 밑줄 친 ㉡과 같이 말한 이유를 서술할 것[단, 장애인 등에 대한 특수교육법 시행령(대통령령 제32722호, 2022. 6. 28., 일부개정)에 근거할 것]
- (나)의 밑줄 친 ㉣에 해당하는 내용을 학생의 배변 시점을 기준으로 서술할 것

73　　2024 유아A-2

(가)는 지호의 개별화가족지원계획을 작성하기에 앞서 지호 어머니와 장애영아학급 교사가 나눈 대화의 일부이다. 물음에 답하시오.

(가)

교　사: 어머니의 요청에 의해 앞서 촬영한 지호와 어머니의 놀이 상호작용 동영상 자료를 보며 말씀 나누겠습니다.

… (중략) …

교　사: 영상을 모두 보셨는데요. 어떠셨는지요?
어머니: 아 … 영상을 보며 선생님 말씀을 들으니 … 제가 참… 우리 지호는 쳐다볼 준비가 안 됐는데 저는 계속 그림책을 펴며 지호에게 보라 하고….
교　사: 그래도 지호를 위해 많이 노력하셨어요. 그런데 저는 어머니께서 지호보다 앞서서 뭐든 해주려 하는 점이 다소 우려됩니다.
어머니: 그럼 우리 지호와 즐겁고 의미 있게 놀 수 있는 좋은 방법을 구체적으로 배우고 싶어요.
교　사: 지호에게는 마호니(G. Mahoney)의 ㉠ <u>반응성 교수법(Responsive Teaching : RT)</u>이 적절합니다. 이 방법은 일상생활에서 지호와 어머니가 상호작용하면서 지호 발달에 필요한 중심 행동을 자연스럽게 배우고 사용할 수 있도록 하는 것이에요.

… (중략) …

어머니: 선생님, 우리 지호가 30개월인데 고개 조절은 할 수 있지만 제가 도와줘도 몸통의 안정성이 부족해 오래 앉거나 서 있는 것을 힘들어해요. 그래서인지 우리 지호는 자신이 할 수 있는 몇 가지 행동조차 스스로 하려 하지 않아요. 지호의 서기 자세를 도와주는 보조기기에는 어떤 것이 있을까요?
교　사: (㉡)을/를 활용하면 도움이 될 거예요.
어머니: 아! 그렇군요. 감사합니다. 선생님.

2) (가)에서 ㉡에 해당하는 서기 자세 보조기기의 명칭을 쓰시오.

74　　2024 초등A-2

다음은 특수교육지원센터의 질의응답 게시판에 올라온 보조공학 기기와 관련된 글의 일부이다. 물음에 답하시오.

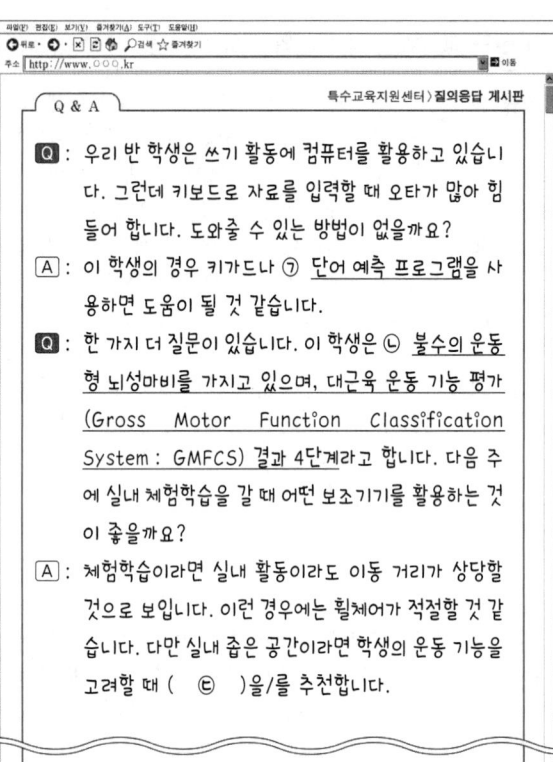

1) 다음은 ㉠에 대한 설명이다. ① ⓐ에 들어갈 내용을 쓰고, ② ㉡을 고려하여 ㉢에 들어갈 보조기기를 쓰시오.

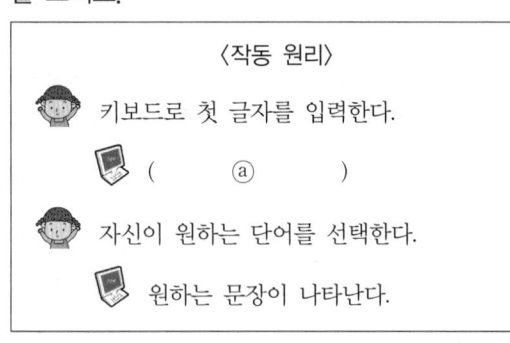

①:

②:

75 2024 중등A-7

(가)는 지체장애 학생 B의 특성이고, (나)는 교육 실습생과 특수 교사의 대화 중 일부이다. 〈작성 방법〉에 따라 서술하시오.

(가) 학생 B의 특성

| 학생 B | • 경직형 뇌성마비, 비대칭성 긴장성 경반사
• GMFCS 5단계 |

(나) 교육 실습생과 특수 교사의 대화

교육 실습생: 선생님, 학생 B가 직접 선택 방법으로 태블릿PC의 의사소통 애플리케이션을 사용할 수 있도록 지도하고 싶은데, 어떤 방법이 좋을까요?

특 수 교 사: 직접 선택을 하는 데에는 다양한 전략이 있습니다. 그중에서 (㉠) 전략을 사용해 보면 어떨까요? 이 전략은 해당 프로그램이 단시간 내에 수집한 정보를 바탕으로 셀이 선택되는 데 필요한 시간을 감지해서, 유효한 시간과 무시해도 되는 시간을 찾아냅니다. 그래서 일정 시간 동안 누르고 있는 셀은 선택되지만, 잠깐 스치듯 누르는 셀은 선택되지 않습니다.

교육 실습생: 학생 B의 경우는 원시반사가 남아 있는데, 모니터의 위치는 어떻게 하면 좋을까요?

특 수 교 사: AAC 기기나 모니터를 ㉡ <u>몸의 정중선에 위치하도록 하는 것</u>이 중요합니다.

〈 작성 방법 〉
- 학생 B의 특성을 고려하여 (나)의 밑줄 친 ㉡의 이유를 2가지 서술할 것(단, '원시반사'가 포함된 서술은 제외함)

76 2024 중등B-4

(가)는 학생 A와 B의 특성이고, (나)는 특수학교 교사 A와 B의 대화이다. 〈작성 방법〉에 따라 서술하시오.

(가) 학생 A와 B의 특성

학생 A	• 듀센형 근이영양증 • 척주(척추)만곡이 나타남 • 첨족보행을 하며 균형 감각이 불안하여 자주 넘어짐 • 착석 시스템 적용 전동 휠체어를 사용함
학생 B	• 경직형 뇌성마비 • 고정형 팔걸이의 수동 휠체어를 사용함

(나) 특수 교사 A와 B의 대화

특수 교사 A: 학생 A의 전동 휠체어는 어떤 방식으로 작동하나요?

특수 교사 B: 학생 A의 경우에는 손을 일정하게 움직일 수 있기 때문에 비례적 조이스틱을 사용하면 됩니다. 가고 싶은 방향으로 비례적 조이스틱을 움직이면 그 방향으로 휠체어가 움직입니다.

특수 교사 A: 비례적 조이스틱으로 (㉠)을/를 조절할 수도 있습니까?

특수 교사 B: 물론입니다. 원하는 방향으로 미는 정도에 따라 조절할 수 있습니다.

특수 교사 A: 학생 B는 ㉡ <u>교과 전담 이동 수업 시간에 다른 책상을 사용하는 것이 어렵습니다.</u> ㉢ <u>학생 B의 접근성을 보장하기 위한 방법</u>이 있을까요?

특수 교사 B: 네, 학생 B의 접근성을 보장하기 위해 할 수 있는 방법을 자료와 함께 자세히 메모해 드릴게요.

〈 작성 방법 〉
- (나)의 괄호 안의 ㉠에 해당하는 용어를 쓸 것
- (나)의 밑줄 친 ㉡을 해결하기 위한 ㉢을 2가지 서술할 것

77 2024 중등B-8

(가)는 중복장애 학생 A에 대한 담임 교사와 수석 교사의 대화이고, (나)는 학생 A를 위한 학급 규칙 자료이다. 〈작성 방법〉에 따라 서술하시오.

(가) 담임 교사와 수석 교사의 대화

담임 교사: 학생 A는 지체장애와 자폐성장애를 같이 가지고 있는데, 낮은 촉각 역치를 보입니다. 학생 A에게 손 씻기를 지도하는데 어떤 방법으로 지도할까요?

수석 교사: 다양한 방법으로 지도할 수 있습니다. ㉠ 세면대 거울에 손 씻는 단계 그림을 붙여서 학생 A에게 손 씻기를 지도할 수 있고, ㉡ 손을 씻어야 한다는 의미로 선생님이 손으로 수도꼭지를 살짝 건드려서 학생 A에게 손 씻기를 알려 줘도 됩니다. 그리고 다른 방법으로는 ㉢ 학생 A가 손을 씻을 수 있도록 손목을 잡아 줄 수 있으며, ㉣ 선생님이 손을 씻는 모습을 학생 A에게 보여 주고 학생 A가 이를 모방하도록 할 수도 있습니다.

담임 교사: 잘 알겠습니다. 그러면 학생 A에게 학급 규칙을 어떻게 지도해야 할까요?

수석 교사: 학생 A는 규칙을 언어적으로 이해하는 데 어려움이 있으니, 학생이 지켜야 할 학급 규칙을 그림으로 제시하는 (㉤)의 방법으로 지도해 보세요. 이것은 교사가 학생에게 기대하는 행동에 대한 구체적인 목표가 있을 때 효과적인 방법입니다.

담임 교사: 그렇게 하면 학생 A에게 다른 규칙도 지도할 수 있겠네요.

수석 교사: 네, 학생의 수준에 맞는 다양한 그림이나 상징으로 지도할 수 있어요.

담임 교사: 그러면 어떤 기준으로 그림이나 상징을 선택하면 좋을까요?

수석 교사: 학생의 수준에 맞게 ㉥ 그림이나 상징을 보고 그것이 나타내는 것이 무엇인지 알 수 있는 정도를 고려해서 선택하면 좋겠어요.

(나) 학생 A를 위한 학급 규칙 자료

우리 학급 규칙

〈작성 방법〉
• (가)의 괄호 안의 ㉤에 해당하는 용어를 (나)를 참조하여 쓸 것

78 2024 중등B-11

다음은 ○○특수학교의 특수 교사와 교육 실습생 A와 B가 중도 뇌성마비 학생 A의 식사 기술 지도에 대해 나눈 대화이다. 〈작성 방법〉에 따라 서술하시오.

교육 실습생 A :	학생 A는 목 조절이 힘들고 위식도 역류가 심합니다. 그래서 씹기를 거부하고 구토 증상도 나타나요.
교육 실습생 B :	그런 경우에는 ⊙ 음식을 작은 조각으로 잘라서 조금씩 자주 제공해야 합니다. ⓒ 식사를 마친 후에도 곧바로 눕지 않고 앉아 있도록 하는 게 좋겠네요.
교육 실습생 A :	학생 A는 기도 폐쇄 현상이 자주 나타납니다.
교육 실습생 B :	그럴 경우 ⓒ 죽(퓌레) 형태로 음식물을 수정하여 제공해야 합니다.
교육 실습생 A :	그렇군요. 그런데 학생 A는 혼자 숟가락을 사용하지 못해서 식사 보조를 해 주는데, 그럴 때 숟가락을 강하게 물고 있어서 치아가 손상될까 봐 걱정이에요.
교육 실습생 B :	우선 숟가락을 바꿔 보는 것은 어떨까요? ② 부드러운 실리콘 소재의 숟가락을 사용하는 것이 좋겠네요. 그리고 ⓜ 교사가 식사 보조를 할 때는 학생 A의 앞에 앉아 지원해야 해요.
교육 실습생 A :	선생님, 학생 A가 혼자 식사를 할 수 있도록 숟가락 홀더(utensil holder) 사용하는 방법을 지도하려는데 간격 시도와 (ⓐ) 중에 어느 것이 더 적절할까요?
특 수 교 사 :	식사 기술 지도에는 간격 시도가 적절하지 않습니다. 그리고 학생 A는 숟가락 홀더 사용을 새로 배워야 하므로 익숙해지기까지 많은 시간이 걸릴 수 있습니다. 그래서 정해진 점심 시간 이외에도 자연스러운 환경 속에서 간식 시간 등을 이용하여 추가로 지도하는 것이 바람직합니다.
교육 실습생 B :	식사 장소도 고민 중입니다. 식사 중에 친구들이 갑자기 큰 소리를 내거나 뛰면 학생 A는 무척 놀라고 ⓢ 갑작스러운 목 신전 반사가 나타나며 팔을 쭉 벌리면서 무언가를 잡으려 하는 자세를 취하게 됩니다.
특 수 교 사 :	주변 상황 변화에 대해 과도한 반사행동을 가진 학생에게는 편안하고 안정된 느낌을 제공해 주는 것도 필요합니다.

〈작성 방법〉
- 밑줄 친 ⊙~ⓜ 중 틀린 내용을 2가지 찾아 기호를 쓰고, 틀린 내용을 바르게 고쳐 서술할 것
- 밑줄 친 ⓢ과 같은 반사행동 명칭을 쓸 것

79 (2025 유아A-2)

(가)는 4세 지적장애 유아 윤서의 개별화교육계획 수립을 위한 유아 특수교사와 윤서 어머니의 대화이다. 물음에 답하시오.

(가)

교 사:	어머님, 어머님께서 윤서에게 가장 필요하다고 생각하시는 교육 내용은 무엇인가요?
어머니:	무엇보다 용변 지도요. ⓐ <u>윤서가 염색체 이상으로 태어났어요.</u> 잔병치레가 잦아서 배변 훈련 같은 기초적인 양육도 신경 쓰지 못했어요. 그래서인지 윤서가 4세인데 아직도 기저귀를 하고 있어요.
교 사:	그런 이유로 기저귀 떼는 시기를 놓치셨군요.
어머니:	네, 집에서 기저귀를 떼려고 윤서를 화장실에 데리고 가면 변기 앞에서 "아니야!" 하며 엉덩이를 빼면서 앉지 않아요.
교 사:	그렇군요. 혹시 집의 변기가 유치원과 크기가 다른가요? ⓒ <u>변기의 높이가 다르면 변기에 앉을 때 불편해하고 불안해할 수 있어요.</u>
어머니:	네, 유치원처럼 작은 변기가 아니고 집의 변기는 어른 변기예요.
교 사:	네, 그렇군요. 우선 변기에서 안정감을 느낄 수 있는 환경을 마련해 주세요.
어머니:	네, 선생님. 그다음에는 어떻게 지도하나요?
교 사:	윤서의 발달검사 결과에서 자조 영역의 발달 연령이 2세 6개월이므로 윤서의 배변 훈련이 가능할 것으로 생각해요. 배변 훈련을 위해서는 기저귀가 최소 1~2시간 정도 마른 상태로 유지되어야 해요. 이 외에도 ⓒ <u>몇 가지 용변 기술 준비도 평가를 더 해야 해요.</u> 그다음 용변 지도의 ⓒ <u>습관 훈련</u>을 시작하면 좋을 것 같아요. 윤서의 배변 훈련을 개별화교육계획에 포함하여 지도하겠습니다. 가정에서도 함께해 주세요.

2) (가)의 ① 밑줄 친 ⓒ을 감소하기 위한 환경 조절 방법 1가지를 쓰고, ② 밑줄 친 ⓒ에 해당하는 내용 1가지를 쓰시오. ③ 배변훈련을 할 때 밑줄 친 ⓒ의 지도 내용이 무엇인지 쓰시오.

① :

② :

③ :

80 (2025 유아A-5)

(나)는 3세 지체장애 유아 은지에 대한 부모 상담 장면이다. 물음에 답하시오.

(나)

〈지체장애학교 입학 전 부모 상담 장면〉

김 교사:	은지가 유치원은 처음이죠? 가정에서는 어떻게 지냈나요?
어 머 니:	은지는 근육에 힘이 없어요. 그래서 외출할 때를 제외하고는 주로 제가 안고 있거나 누운 자세로 생활하고 있어요. 질문을 하면 한 단어 수준으로 잘 대답해서 대화를 많이 나누었어요. 그리고 요즘에는 책도 많이 읽어 주고 있어요. ⎫ ⎬ [C] ⎭
김 교사:	병원이나 치료 기관을 갈 때 어떻게 이동하시나요?
어 머 니:	아기 때부터 쓰던 카시트형 유모차로 이동해요.
김 교사:	그러면 유치원에서 ⓗ <u>피더 시트(feeder seat)</u>를 사용해 보는 건 어떨까요?

2) (나)의 [C]를 고려하여 밑줄 친 ⓗ을 사용할 때의 ① 장점과 ② 유의점을 각각 1가지 쓰시오.

① :

② :

81
2025 초등B-4

(가)는 특수학교 5학년에 재학 중인 지체장애 학생들의 특성이고, (나)는 예비 교사와 지도 교사의 대화 내용의 일부이다. 물음에 답하시오.

(가)

학생	특성
영희	• 소뇌 손상 • 머리가 흔들리는 등 운동 조절이 곤란함 • 기저면을 넓게 벌리고 팔을 바깥쪽으로 벌려 걸음 [A] • 조음이 불명확하고 말의 속도가 느림
민호	• 대뇌피질 손상 • 대칭성 긴장성 목반사가 있음 • 가위 모양 자세를 보임 • ㉠ 단하지 보조기를 착용함

(나)

예비 교사: 선생님, 제가 공개수업을 준비할 때 주의해야 할 점이 있을까요?

지도 교사: 민호와 같이 대칭성 긴장성 목반사가 있는 경우, ㉡ 학생이 선생님을 쳐다보려고 고개를 치켜들면 반사로 인한 움직임이 생길 수 있습니다.

예비 교사: 아, 그렇군요. 그럼 공 던지기 수업을 할 때에도 주의를 해야겠네요.

지도 교사: 네, 맞아요. 특히 민호가 가위 모양 자세를 보이므로, 앉아서 공 던지기를 할 때 ㉢ 두 다리가 바르게 정렬되도록 해야 합니다.

1) (가)의 ① [A]를 고려하여 영희의 뇌성마비 유형을 쓰고, ② 밑줄 친 ㉠을 사용하는 목적을 신체 정렬 부위를 중심으로 쓰시오.

   ①:

   ②:

2) (나)의 ① 밑줄 친 ㉡을 팔과 다리를 중심으로 쓰고, ② 밑줄 친 ㉢을 위한 보조기기를 1가지 쓰시오.

   ①:

   ②:

82
2025 중등A-12

다음은 ○○ 중학교 중도·중복장애 학생 K에 대해 특수 교사와 교육 실습생이 나눈 대화이다. 〈작성 방법〉에 따라 서술하시오.

교육 실습생: 선생님, 학생 K를 지도할 때 제가 무엇을 주의해야 할까요?

특 수 교 사: 학생 K를 주의해서 보시면 하루에도 여러 번 짧은 시간 동안 발작 증세가 나타나요. 갑자기 하던 일을 멈추고 멍하게 응시하는 모습을 보일 때가 있어요. 그리고 눈을 깜빡거리거나 입술 경련도 나타나지요. [A] 이 증상은 경미하게 나타나기는 하지만, 전조 증상이 없이 갑자기 나타나기 때문에, 더욱 조심해야 해요.

… (하략) …

〈 작성 방법 〉
• [A]에 해당하는 전신 발작의 유형을 쓸 것

83

(가)는 ○○중학교 지체장애 학생 B의 특성이고, (나)는 특수 교사가 작성한 학생 B의 지도 계획이다. 〈작성 방법〉에 따라 서술하시오.

(가) 학생 특성

구분	특성
학생 B	• 불수의 운동형 뇌성마비 • 대근육 운동 기능 분류체계(GMFCS) 5단계 • 머리와 몸통 조절에 어려움이 있음 • 키보드의 키를 누르면 손을 떼기가 어려움 • ⓐ 누운 자세에서는 신전근의 긴장이 증가하고, 엎드린 자세에서는 굴곡근의 긴장이 증가함

(나) 학생 B의 지도 계획

구분	지도 계획
학생 B	• ⓒ 타이핑 시 의도하지 않게 키보드의 키가 오래 동안 눌렸을 때, 일정 시간이 지나기 전에는 반복해서 누른 키를 수용하지 않도록 만들어 놓는 기능키 설정 방법 지도 • ⓔ 일과 중에 자세를 자주 바꿔 주거나 피부 청결 및 건조 상태 유지 시켜주기

─〈 작성 방법 〉─
• (가)의 밑줄 친 ⓐ에 해당하는 원시 반사의 명칭을 쓸 것
• (나)의 밑줄 친 ⓔ의 이유를 1가지 서술할 것

MEMO

김남진
KORSET 특수교육
기출분석 ❸

KORea Special Education Teacher

PART 10

건강장애아교육

Part 10 건강장애아교육 Mind Map

Chapter 1 건강장애의 이해

■1 건강장애의 개념
- 장애인 등에 대한 특수교육법의 정의
  - 만성질환
  - 3개월 이상 장기입원 또는 통원치료 등 계속적인 의료적 지원
  - 학교생활 및 학업수행에 어려움
- 건강장애 학생의 특성

■2 건강장애의 선정과 취소
- 건강장애의 선정: 만성질환의 확인(장애인 증명서, 장애인 수첩, 진단서)
- 건강장애의 선정 취소
  - 건강장애 선정의 직접적인 원인이 된 질병이 완치된 경우
  - 소속 학교로 복귀하여 정상적인 출석을 하는 경우
  - 소속 학교에서 휴학 또는 자퇴를 하고자 하는 경우
- 기타 사항
  - 외상적 부상 학생
  - 정신장애 학생

Chapter 2 건강장애 학생을 위한 교육적 지원

■1 교육지원의 기본 원칙

■2 건강장애 학생을 위한 교육적 지원 유형
- 병원학교
  - 개념: 병원학교의 운영 목적
  - 입교 기준과 입교 신청·취소
  - 교육과정 운영
    - 학생의 학적
    - 출결 관리
      - 출석 인정
      - 출석 확인
    - 평가 및 학업성적관리
  - 개별화교육계획
    - 개별화교육지원팀의 구성
    - 개별화교육계획의 작성
- 원격수업
  - 개념
  - 학사 운영
- 순회교육

■3 심리·정서 및 학교복귀 지원
- 심리·정서적 지원
- 학교복귀 지원

Chapter 3 건강장애의 유형

❶ 소아암
- 소아암의 이해
  - 개념
  - 원인과 치료
  - 성인 암과 구별되는 소아암의 특징
- 소아암의 종류
  - 백혈병
  - 뇌종양
  - 악성림프종
  - 신경모세포종
  - 윌름스 종양
  - 골육종
- 교육지원
  - 건강관리
  - 학습지원
  - 정서적 지원
  - 기타

❷ 신장장애
- 신장장애의 개념
- 신장장애의 종류
  - 사구체신염
  - 신증후군
  - 기타 : 급성 신부전, 급성 신우신염, 신장결석
  - 만성 신부전
    - 개념
    - 치료
      - 식이요법과 약물치료
      - 신대체요법
        - 복막투석
        - 혈액투석
        - 신장 이식
- 교육지원

❸ 심장장애
- 심장장애의 개념
- 심장장애의 종류
  - 선천성 심장병
  - 류머티스성 심장병
  - 심근질환
  - 부정맥
- 교육지원

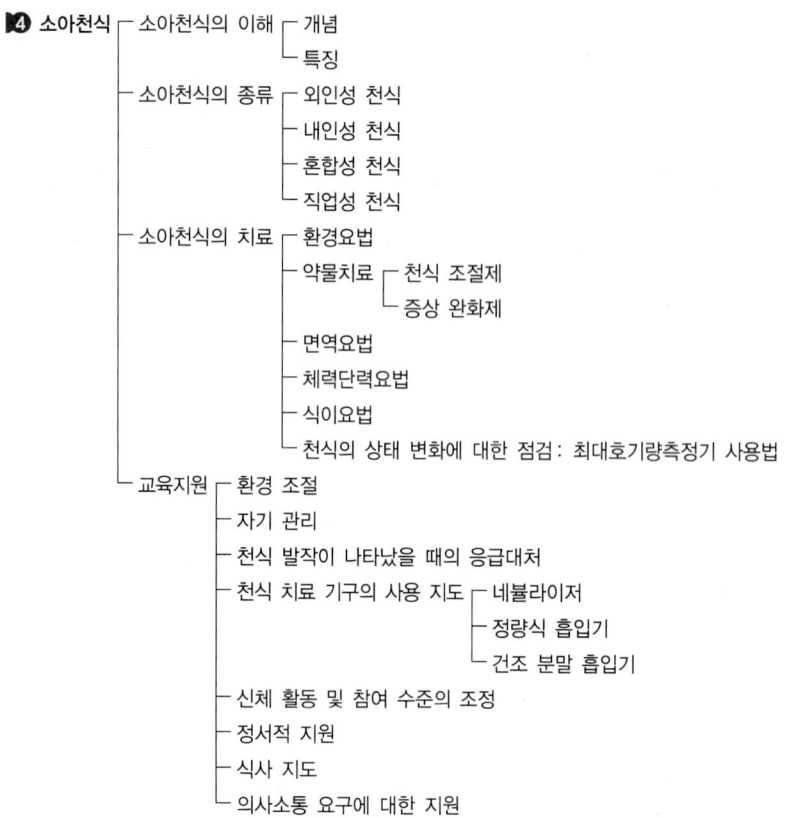

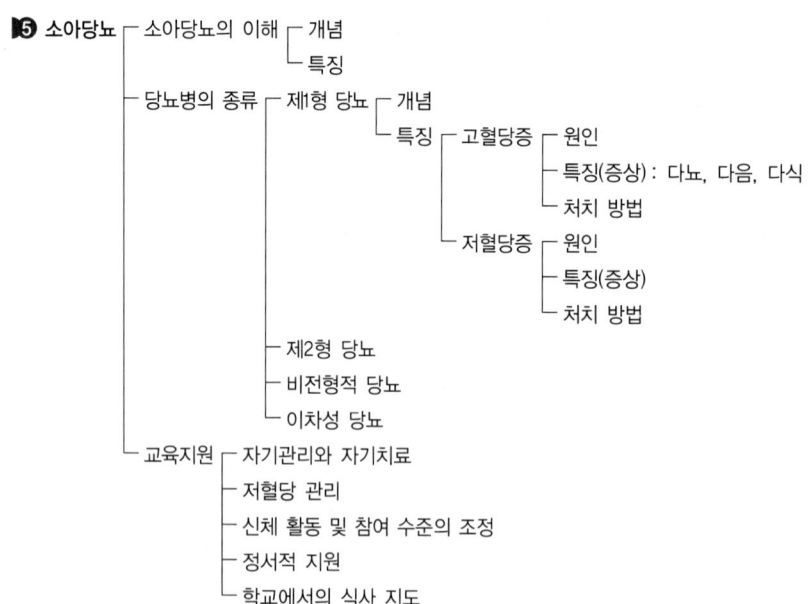

기출문제 다잡기

01 2009 중등1-14

「장애인 등에 대한 특수교육법」 및 관련 법령에 근거한 순회교육의 설명으로 옳은 것을 〈보기〉에서 고른 것은?

〈보기〉
ㄱ. 특수학교 및 특수교육지원센터에 특수교육교원을 배치하여 순회교육을 실시한다.
ㄴ. 순회교육의 수업일수는 매 학년도 74일을 기준으로 하되, 15일 범위에서 줄일 수 있다.
ㄷ. 순회교육대상자를 위하여 의료기관 및 복지시설 등에 학급을 설치·운영할 수 있다.
ㄹ. 일반학교에서 통합교육을 받고 있는 특수교육대상자를 지원하기 위하여 순회교육을 실시하여야 한다.

① ㄱ, ㄴ ② ㄱ, ㄷ
③ ㄴ, ㄷ ④ ㄴ, ㄹ
⑤ ㄷ, ㄹ

02 2011 초등1-6

샛별초등학교에 재학 중인 건강장애 학생 창수는 소아암 치료를 위해 5개월간 장기 입원하게 되어 병원학교에 입급하려고 한다. 담임교사는 창수의 병원학교 입급과 관련된 점검 사항을 작성하여 특수교사에게 조언을 구하려고 한다. 다음에서 적절한 내용을 모두 고른 것은?

구분	병원학교 점검 사항
학사 운영	ㄱ. 창수의 학적은 병원학교에 두고, 샛별초등학교의 학년과 학기를 적용한다.
교육 과정 운영	ㄴ. 병원학교에서는 입급일로부터 14일 이내에 창수의 건강관리계획을 포함한 개별화교육계획을 작성해야 한다. ㄷ. 창수의 오랜 병원생활로 인한 수업 결손을 막기 위해 재량활동을 교과 재량활동으로 운영한다. ㄹ. 창수에게 학력 평가를 실시할 때, 평가 당일 샛별초등학교에 출석하여 평가를 받도록 권장하되, 병원방문 평가도 인정한다.
환급 준비	ㅁ. 병원학교에서는 창수가 샛별초등학교로 복귀하는 것을 도울 수 있도록 학업·심리·사회 적응 등을 위한 학교복귀 프로그램을 실시한다.

① ㄱ, ㄴ ② ㄷ, ㅁ
③ ㄹ, ㅁ ④ ㄱ, ㄴ, ㄹ
⑤ ㄷ, ㄹ, ㅁ

03

다음은 심장 수술로 장기간 입원하게 된 고등학생 A의 어머니와 병원학교 특수교사의 대화이다. ㉠~㉣에서 옳은 것만을 모두 고른 것은?

> 어 머 니: 간호사 말이 A가 여기에서 특수교육을 받을 수 있다던데요…….
> 특수교사: ㉠ A가 2개월 이상 입원하게 될 경우, 「장애인 등에 대한 특수교육법」 시행령에 근거해서 건강장애를 지닌 특수교육대상자로 선정될 수 있습니다.
> 어 머 니: 그럼 A에게 무슨 혜택이 있지요?
> 특수교사: ㉡ 건강장애학생으로 선정되면 입학금과 수업료, 교과용 도서 대금 및 급식비가 무상으로 지원됩니다.
> 어 머 니: 그럼 병원에 입원해 있는 동안 수업 결손은 어떻게 하지요?
> 특수교사: ㉢ 병원학교에서 교과 수업뿐만 아니라 필요에 따라 화상 강의도 제공합니다.
> 어 머 니: 그럼 제가 어떻게 해야 하지요?
> 특수교사: ㉣ 병원학교 배치 신청서를 작성하여 진단서와 함께 병원에 제출하면, 심사 결과에 따라 건강장애로 선정되어 저희 병원학교에 배치됩니다.

① ㉠, ㉢
② ㉠, ㉣
③ ㉡, ㉢
④ ㉠, ㉡, ㉣
⑤ ㉡, ㉢, ㉣

04

다음은 특수교육대상자로 선정되어 초등학교 일반학급에 통합되어 있는 건강장애 학생들의 개별적인 상황과 특수교육 지원 내용이다. 상황에 따른 특수교육 지원이 적절하지 <u>않은</u> 것은?

	만성질환	개별 학생의 상황	특수교육 지원
①	소아천식	먼지와 특정성분의 음식에 과민반응을 보여 천명을 동반한 기침과 호흡곤란이 심하게 나타난다.	부모와 보건교육교사와 상의하여 과민반응을 일으키는 음식을 통제하고, 교실환경을 평가하여 자극을 줄여준다.
②	심장장애	온도변화가 심하거나 몹시 추운 날에는 청색증과 호흡곤란 증세가 나타난다.	동절기에는 운동장에서 하는 체육수업을 받지 않고, 특수학급에 가서 다른 교과의 수업을 받게 한다.
③	신장장애	투석치료를 위해 매주 정기적으로 3번씩 조퇴를 해야 한다.	조퇴로 인한 특정 교과 학습의 결손을 보충할 수 있도록 통신교육이나 체험교육 등의 학습 기회를 제공한다.
④	소아암	소아암 치료를 위해 학기 중 4개월 동안 병원에 입원하여야 한다.	입원한 병원의 병원학교에서 최소한 1일에 1시간 이상 수업에 참여하게 하여 유급이 되지 않게 한다.
⑤	소아당뇨	혈당 조절을 위해 매일 인슐린 주사를 맞으며, 종종 저혈당 증세가 나타난다.	수업시간이라도 갑작스러운 저혈당 증세가 나타나면, 사탕이나 초콜릿 등을 먹을 수 있도록 허용한다.

05   2013 중등1-8

순회교육에 대하여 「장애인 등에 대한 특수교육법」 및 동법 시행령에 명시된 내용으로 옳지 <u>않은</u> 것은?

① 교육감은 장애 정도가 심하여 장·단기의 결석이 불가피한 특수교육대상자의 교육을 위하여 필요한 경우 순회교육을 실시하여야 한다.

② 각급학교의 장은 순회교육을 하기 위하여 순회교육을 받는 특수교육대상자의 능력, 장애 정도, 장애 특성 등을 고려하여 순회교육계획을 작성·운영하여야 한다.

③ 순회교육이란 특수교육교원 및 특수교육 관련서비스 담당 인력이 각급학교나 의료기관, 가정 또는 복지시설(장애인복지시설, 아동 복지시설 등을 말한다) 등에 있는 특수교육대상자를 직접 방문하여 실시하는 교육을 말한다.

④ 교육장 또는 교육감은 일반학교에서 통합교육을 받고 있는 특수교육대상자를 지원하기 위하여 일반학교 및 특수교육지원센터에 특수교육교원 및 특수교육 관련서비스 담당 인력을 배치하여 순회교육을 실시하여야 한다.

⑤ 순회교육의 수업일수는 매 학년도 150일을 기준으로 하여 각급학교의 장이 정하되, 순회교육을 받는 특수교육대상자의 상태와 교육과정의 운영상 필요한 경우에는 지도·감독기관의 승인을 받아 30일의 범위에서 줄일 수 있다.

06   2017 초등A-3

(나)는 슬기로운 생활과 '가을 풍경 관찰하기' 현장체험학습 계획 시 중도·중복장애 학생들의 특성에 따라 교사가 고려해야 하는 사항이다. 물음에 답하시오.

(나)

학생 이름	특성	고려사항
영희	• 외상성 뇌 손상(교통사고) • 오른쪽 편마비, 인지적 손상, 언어장애를 보임	외출 전에 ⓒ<u>상의(앞이 완전히 트인 긴소매) 입히는 순서 고려하기</u>
철수	• 중도 지적장애와 경직형 뇌성마비 • 전신의 긴장도가 높아 머리가 뒤로 젖혀지고 다리는 가위자 모양이 됨	안아 옮길 때 자세에 유의하기 [A]
연우	• 중도 지적장애 • 알레르기성 천식을 앓고 있음 • 천식 발작 시 마른 기침을 하고 흉부 압박을 느끼며 고통을 호소함 • 천식 발작이 심한 경우 호흡곤란이 동반되고 의사소통이 어려움	• 외출 시 준비물(휴대용 흡입기, 마스크, 상비약, 도움요청 카드, 휴대용 손전등, 휴대용 알람기기 등) 점검하기 • ⓒ<u>응급 상황 발생 시 도움을 요청하는 방법</u> 환기하기

4) (나)의 ⓒ의 예를 연우의 특성과 외출 시 준비물을 고려하여 1가지 쓰시오.

07 2017 중등A-5

다음은 박 교사와 김 교사가 학생 A에 대해 나눈 대화의 일부이다. ㉠에 해당하는 병명을 쓰고, 「장애인 등에 대한 특수교육법 시행령(대통령령 제27227호, 2016. 6. 21., 일부개정)」에 근거하여 ㉡의 수업 일수는 누가 정하고, 기준 일수는 며칠인지 쓰시오.

박 교사: A는 ㉠<u>소변검사에서 단백뇨와 혈뇨가 나와서 이 질병을 발견하게 되었는데</u>, 지금은 혈액 투석을 하고 있습니다. 그리고 더 심해지면 이식 수술을 해야 한다고 걱정을 많이 하고 있어요. 식이요법도 해야 하고, 수분과 염분 섭취량을 조절해야 합니다.

김 교사: A가 주의해야 할 점이 많네요. 그리고 투석을 받는 것도 힘들겠지만 상태가 더 나빠지는 것에 대한 스트레스도 클 것 같아요.

박 교사: 네. A는 몸이 많이 부어 있기도 하고 피로감을 자주 호소합니다. 그리고 조퇴와 결석이 많아 학습결손도 있어서, 부모님께 건강장애를 지닌 특수교육대상자로 선정·배치되는 절차를 안내했어요. 선정이 되면 ㉡<u>순회교육</u>이 필요할 수도 있겠습니다.

… (하략) …

---

08 2018 초등A-1

다음은 특수교육지원센터 홈페이지 질의·응답 게시판의 일부이다. 물음에 답하시오.

Q	우리 아이는 소아암으로 입원하고 있고, 특수교육대상자로 선정되었습니다. 내년에 초등학교에 입학할 연령인데, 병원에는 병원 학교가 없습니다. 아이가 입원한 병원에서 학력 인정 교육을 받을 수 있는 방법이 있을까요?
A	네, 있습니다. 학생이 입원한 병원에 병원 학교가 없다면, 특수교육지원센터의 (㉢)을/를 통해 학력 인정 교육을 받을 수 있습니다.

3) ㉢에 들어갈 특수교육 지원 유형 1가지를 쓰시오.

09   2018 중등A-4

다음은 건강장애 학생 교육지원 매뉴얼의 Q&A 내용 중 일부이다. ⊙~ⓒ에 들어갈 내용을 순서대로 쓰시오.

> Q1: 병원학교에서 수업받고 있는 중·고등학생은 출석 인정을 받을 수 있습니까?
>
> A1: 예, 출석으로 인정받을 수 있습니다. 중·고등학생은 1일 (⊙) 수업에 참여할 경우 출석으로 인정하며(단, 정서·행동장애 병원학교는 1일 4시간 이상), 이때 병원학교의 (ⓒ)을/를 소속 학교에 제출해야 합니다.
>
> Q2: 병원학교에서 수업을 받고 있지만, 건강상태가 좋지 않아 소속 학교에 출석하여 평가를 받기 힘들거나 병원이나 가정 등에서도 평가를 받기 어려운 학생이 있습니다. 이런 경우에 어떠한 해결방법이 있습니까?
>
> A2: 평가 당일 소속 학교에 출석하여 평가를 실시함을 원칙으로 하지만, 부득이한 이유 등으로 인해 직접 평가가 불가능한 경우에는 소속 학교의 (ⓒ) 규정에 따라 처리하게 됩니다.

10   2019 중등A-8

다음은 ○○중학교 건강장애 학생 K의 보호자와 송 교사가 나눈 대화이다. 괄호 안의 ⓒ에 해당하는 내용 1가지를 쓰시오.

> 보호자: 선생님, 학생 K가 퇴원 후 학교에 복귀하게 되었는데, 학습 결손도 걱정이지만 오랜만에 학교에 가서 그런지 불안과 긴장이 심해지는 것 같아요.
>
> 송 교사: 개별적인 지원 방법을 고민해 봐야겠군요. 먼저, 학업 지원 측면에서 학습 결손 보충과 평가 조정 등을 고려하겠습니다. 불안과 긴장에 대해서는 ⊙ <u>깊고 느린 호흡, 심상(mental image) 등을 통해 근육의 긴장을 감소시키는 방법</u>을 고려해보면 좋겠네요.
>
> 보호자: 학생 K가 병원에서 처방받은 약을 복용해야 하는데, 건강관리 측면에서는 어떠한 지원이 가능한가요?
>
> 송 교사: 개별화교육지원팀에서 약물 투여 담당자 지정을 포함하여 건강관리에 관한 제반 사항을 논의하고 결정할 것입니다. 교사들은 학생 K가 정해진 시간에 약을 복용하는지 확인할 것이고, 약물 복용에 따른 (ⓒ)을/를 관찰하겠습니다. 그리고 혹시 있을지 모르는 응급상황 대처 요령을 숙지할 것입니다.

11

2020 중등A-12

(가)는 특수교육지원센터 홈페이지 게시판에 있는 질의응답 내용의 일부이고, (나)는 학생 L의 건강관리 지원 계획의 일부이다. 〈작성 방법〉에 따라 서술하시오.

(가) 질의응답 내용

Q1 저희 아이는 소아 천식을 앓고 있어요. 만약 건강장애로 선정된다면 집에서 공부할 수 있는 방법이 있나요?
A1 네, 원격수업이나 ㉠<u>순회교육</u>을 받을 수 있습니다.

Q2 건강장애 학생의 부모입니다. 향후 건강장애 선정을 취소할 수 있나요?
A2 ㉡<u>건강장애 특수교육대상자 선정 취소 사유</u>에 해당하는 경우, 학부모가 건강장애 선정 취소를 신청할 수 있습니다.

Q3 학생 L은 (㉢)을/를 앓고 있어요. ⓐ<u>혈당 검사, 인슐린 주사, 식이요법을 통해 매일 꾸준히 관리해야 해요.</u> 학교에서 어떤 지원을 받을 수 있을까요?

(나) 건강관리 지원 계획

○응급 상황 대처 계획

구분	나타날 수 있는 증상	처치
경증 저혈당	발한, 허기, 창백, 두통, 현기증	• 즉시 신체 활동 금지 • 즉시 혈당 측정 • (㉣) • 휴식 취하기 • 보건교사 연락 • 보호자 연락

〈작성 방법〉
• (가)의 밑줄 친 ㉡에 해당하는 내용을 1가지 서술할 것
• (가)의 밑줄 친 ⓐ를 참고하여 괄호 안의 ㉢에 해당하는 용어를 쓰고, (나)의 괄호 안의 ㉣에 해당하는 내용을 1가지 쓸 것

12
2021 중등B-9

(가)는 지적장애를 동반한 건강장애 학생 K의 특성이고, (나)는 학생 K에 대한 건강관리 지도 계획이다. 〈작성 방법〉에 따라 서술하시오.

(가) 학생 K의 특성

- 의사소통에 어려움이 있음
- 지속성 경도 천식 증상이 있음
- 흡입기 사용 시 도움이 필요함

(나) 지도 계획

○ ㉠ 최대호기량측정기 사용 지도
  - 매일 일정한 시간에 측정하고 결과를 기록하도록 지도

○ '도움카드' 사용 지도
  - '도움카드' 사용 방법을 학습하기 위해 '1:1 집중 시도' 연습 지도
  - 일반화를 위해 다음과 같이 자연스러운 환경에서 '도움카드' 사용하기 연습 지도

    - 환기가 필요할 때 '도움카드'를 이용하여 도움 요청하기
    - 체육 활동 시 '도움카드'를 이용하여 휴식 시간 요청하기
    - 수업 시간에 갈증을 느낄 때 '도움카드'를 이용하여 물 마시기 요청하기
    - 흡입기 사용 시 '도움카드'를 이용하여 교사에게 도움 요청하기   [㉡]

○ 기타 교육적 지원
  ㉢ 교실에 천식 유발인자가 재투입되지 않는 특수 필터가 장착된 공기청정기를 사용한다.
  ㉣ 학생이 천식 발작의 징후인 흉부 압박, 연속적으로 터져나오는 기침 등의 증상을 자각할 수 있도록 지도한다.
  ㉤ 천식 발작이 나타나면 증상이 잠잠해질 때까지 기다린 후에 조치를 취하도록 한다.
  ㉥ 학교의 모든 사람이 천식에 대한 지식을 갖출 수 있도록 교육을 실시한다.
  ㉦ 천식 발작이 일어났을 때 대개는 앉은 자세보다 누운 자세를 취하도록 하는 것이 바람직하다.
  ㉧ 일반적으로 적절한 운동은 도움이 되므로 준비 운동 후 운동에 참여하도록 한다.

〈작성 방법〉

- (나)의 밑줄 친 ㉠의 사용 방법을 1가지 서술할 것 [단, (가)의 학생 특성에 근거할 것]
- (나)의 ㉢~㉧ 중 틀린 곳 2가지를 찾아 기호를 쓰고, 그 이유를 각각 서술할 것

13 | 2022 중등B-9

(가)는 ○○중학교에 재학 중인 학생 H에 관해 담임 교사와 특수 교사가 나눈 대화의 일부이고, (나)는 학생 H를 위한 지원 계획의 일부이다. 〈작성 방법〉에 따라 서술하시오.

(가) 대화

담임 교사: 선생님, 저희 반 학생 H가 소아암 치료를 위해 6개월간 병원에 입원하게 되었어요. 입원해 있는 동안 어떤 교육 지원을 받을 수 있을까요?

특수 교사: 네, 건강장애로 인한 특수교육대상자로 선정되면 ㉠병원학교에서 수업을 받을 수 있습니다.

담임 교사: 특수교육대상자로 선정되려면 어떤 진단·평가를 받아야 하나요?

특수 교사: 「장애인 등에 대한 특수교육법 시행규칙」에 따르면, 건강장애와 관련하여 특수교육 대상자 선별검사 및 진단평가 영역이 별도로 규정되어 있지 않습니다. 만성질환의 경우에는 (㉡)을/를 참고자료로 활용하여 특수교육운영위원회의 심사를 거쳐 특수교육대상자로 선정될 수 있습니다.

(나) 지원 계획

구분	내용
병원학교 입교	㉢ 학생 H의 학적은 병원학교에 두고 관련 지침을 적용한다. ㉣ 병원학교의 출결확인서 또는 수업확인증명서에 따라 출결을 처리한다.
학교 복귀 지원	㉤ 또래 관계를 지원하고, 심리 상담을 통해 정서적인 안정을 갖도록 한다. ㉥ 필요한 경우, 교내에 충분한 휴식을 취할 수 있는 공간을 확보한다. ㉦ 백혈구 수치가 낮아지거나 감염의 위험성이 높아지면 예기치 못한 결석이 자주 발생할 수 있으므로 학습결손에 대한 방안을 마련한다. ㉧ 장기간 치료로 인한 체력 소모와 피로감을 고려하여 신체 활동과 체육 활동을 피하도록 한다. ㉨ 방사선치료나 화학요법으로 인해 인지능력에 변화가 발생한 경우 학업 수행 시 지원이 요구된다.

〈작성 방법〉

- (가)의 밑줄 친 ㉠을 제외하고 학생 H가 제공받을 수 있는 교육 지원을 1가지 쓸 것[단, 「장애인 등에 대한 특수교육법」 제25조 2항(법률 제17494호, 2020. 10. 20., 일부개정)에 근거할 것]
- (가)의 괄호 안 ㉡에 해당하는 내용을 1가지 쓸 것
- (나)의 ㉢~㉨ 중 적절하지 않은 것 2가지를 찾아 기호와 함께 각각 바르게 고쳐 서술할 것

14

(가)는 건강장애 학생과 지체장애 학생의 특성이고, (나)는 체육 전담교사와 특수교사가 나눈 대화의 일부이다. 물음에 답하시오.

(가) 학생 특성

학생	특성
주호	• 만성적인 심장 질환을 가지고 있음 • 추운 날씨에는 청색증이 나타남 • 호흡기 계통 질환이 잦아 현장 체험 등에서 주의가 필요함 • 최근 병원에서 퇴원하여 계속적인 통원 치료를 받고 있음

(나) 대화 내용

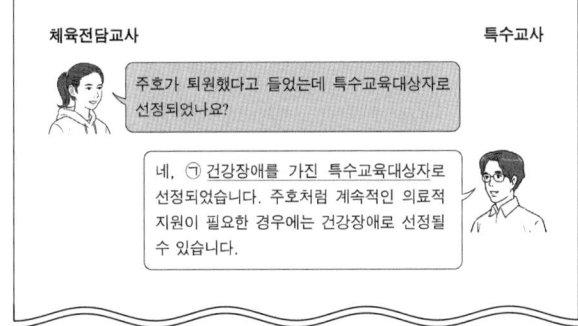

체육전담교사: 주호가 퇴원했다고 들었는데 특수교육대상자로 선정되었나요?

특수교사: 네, ㉠ 건강장애를 가진 특수교육대상자로 선정되었습니다. 주호처럼 계속적인 의료적 지원이 필요한 경우에는 건강장애로 선정될 수 있습니다.

1) (나)의 ㉠으로 선정되기 위한 최소한의 기간을 쓰시오.

15   2023 중등B-7

(가)는 ○○교육지원청 특수교육지원센터 누리집 질의 응답 내용의 일부이며, (나)는 건강장애 학생 A의 평가 조정을 위한 회의록의 일부이다. 〈작성 방법〉에 따라 서술하시오.

〈작성 방법〉
- (가)의 ⓐ~ⓕ 중 틀린 응답 내용을 2가지 찾아 기호를 쓰고, 각각 바르게 고쳐 쓸 것
- (나)의 괄호 안의 ㉠에 공통으로 해당하는 명칭을 쓸 것
- (나)의 밑줄 친 ㉡에 해당하는 방법을 1가지 서술할 것(단, 평가 점수 부여 방식에 근거할 것)

(가) 누리집 질의응답

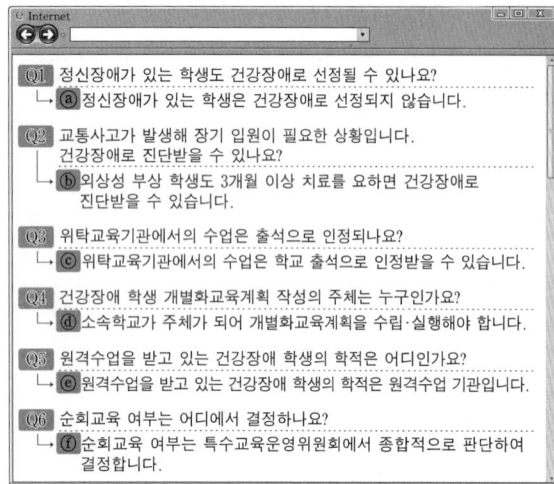

Q1 정신장애가 있는 학생도 건강장애로 선정될 수 있나요?
↳ ⓐ 정신장애가 있는 학생은 건강장애로 선정되지 않습니다.

Q2 교통사고가 발생해 장기 입원이 필요한 상황입니다. 건강장애로 진단받을 수 있나요?
↳ ⓑ 외상성 부상 학생도 3개월 이상 치료를 요하면 건강장애로 진단받을 수 있습니다.

Q3 위탁교육기관에서의 수업은 출석으로 인정되나요?
↳ ⓒ 위탁교육기관에서의 수업은 학교 출석으로 인정받을 수 있습니다.

Q4 건강장애 학생 개별화교육계획 작성의 주체는 누구인가요?
↳ ⓓ 소속학교가 주체가 되어 개별화교육계획을 수립·실행해야 합니다.

Q5 원격수업을 받고 있는 건강장애 학생의 학적은 어디인가요?
↳ ⓔ 원격수업을 받고 있는 건강장애 학생의 학적은 원격수업 기관입니다.

Q6 순회교육 여부는 어디에서 결정하나요?
↳ ⓕ 순회교육 여부는 특수교육운영위원회에서 종합적으로 판단하여 결정합니다.

(나) (㉠) 회의록

개최 일시	2022. ○. ○○.	장소	회의실
참석자	교감, 담임 교사, 특수 교사, 관련 업무 담당자		
안건	건강장애 학생 평가조정 방안		

담 당 자: 회의를 시작하겠습니다. 안건은 건강장애 학생 A의 평가조정 방안에 대한 건입니다. 담임 선생님께서는 학생의 상황에 대해 설명해 주시기 바랍니다.

담임 교사: 학생 A는 올해 혈액암으로 인해 건강장애로 선정된 학생입니다. 이 학생은 현재 ○○병원에서 5개월째 입원 중이며, 원격수업을 수강하고 있습니다. 학부모와 상담한 결과, 건강 상태로 인해 중간고사 기간에 학교에 출석하지 못하는 상황으로 판단됩니다. 이러한 이유로 (㉠) 개최를 요청하게 되었습니다.

특수 교사: 학생 A와 같이 장기 결석으로 인해 출석 시험이 곤란한 경우에 평가에서 불이익을 받을 우려가 있으므로 평가를 조정하는 것이 필요합니다.

교　　감: 건강장애 학생의 경우에도 출석 시험이 원칙입니다. 학생 A의 건강 상태와 현 상황을 고려한 평가 조정 방안에 대해 의견을 주시기 바랍니다.

특수 교사: 이런 경우 학생 A는 병원에서 시험을 볼 수 있습니다. 만약 건강 상태가 계속 좋지 않아 수행평가에도 참여하지 못하는 경우, ㉡ 다음과 같이 처리할 수 있습니다.

… (하략) …

16
2024 중등A-2

다음은 건강장애 학생 A에 대한 ○○중학교 담임 교사와 특수교사의 대화이다. 괄호 안의 ㉠과 ㉡에 해당하는 내용을 각각 쓰시오.

| 담임 교사: 학생 A는 (㉠)이/가 있는데 학교에서 어떤 점을 유의해야 하나요?
| 특수 교사: 학생 A는 부정맥이 있고 청색증이 심하므로 추운 날씨에 야외 활동이나 야외 수업은 피해야 하고, 호흡이 곤란한 경우에는 휴식을 취하도록 지도해야 합니다.
| 담임 교사: 학생 A는 잦은 입원으로 결석이 많습니다. 그렇지만 학생 A는 학업을 계속하고 싶어 하는데, 어떤 방법이 있을까요?
| 특수 교사: 병원학교가 어떨까요? 병원학교는 만성질환을 치료하기 위해 학업을 중단하고 있는 건강장애 학생의 교육을 지원하기 위한 학교입니다.
| 담임 교사: 학생 A는 결석이 잦아서 학습 진도가 맞지 않은데 괜찮을까요?
| 특수 교사: 네, 괜찮습니다. 병원학교는 학생들의 학업 연속성 유지 및 학습권 보장을 위해 학생의 요구와 수준에 맞추어 (㉡) 지원을 하고, 심리·정서적인 지원도 하고 있습니다.

17
2025 중등B-2

다음은 ○○중학교 건강장애 학생 B와 C에 대한 특수교사와 일반 교사의 대화이다. 괄호 안의 ㉠에 해당하는 교육 지원 유형을 장애인 등에 대한 특수교육법(법률 제18992호, 2022. 10. 18., 일부개정)에 근거하여 쓰고, [A]에 해당하는 질환의 명칭을 쓰시오.

일반 교사: 학생 B는 소아암으로 인해 건강장애 특수교육 대상자 적격성 여부를 결정하기 위해 선정 심사 중이에요. 학부모님께 병원에 설치된 학교에 대해 설명드렸는데, 병원학교 이외에 어떤 유형의 교육적 지원이 있나요?

특수 교사: 교사가 직접 방문하여 학생을 지도하는 순회교육이 있어요. 이 외에 (㉠)(으)로 교육적 지원이 가능해요. (㉠)은/는 초·중·고 건강장애 학생이 컴퓨터나 휴대 단말기를 사용하여 탑재된 콘텐츠를 통해 학습하거나 실시간 양방향으로 수업에 참여하는 것을 말해요.

… (중략) …

일반 교사: 선생님, 다음 주에 1박 2일 현장 학습을 가는데 건강장애 학생C를 어떻게 지원해야 할까요?

특수 교사: 먼저 학생 C는 인슐린이 절대적으로 부족하므로 인슐린 주사가 꼭 필요해요. 그리고 혈당 검사, 인슐린 주사, 식이요법으로 꾸준히 관리해야 해요.

… (중략) …

특수 교사: 학생 C의 건강 관리 지원 계획을 보면서 응급 상황에 대한 증상과 지원 방안을 설명할게요. 경도 저혈당 증상은 몸에서 땀이 조금씩 나기 시작하고, 가끔 몸이 흔들리며, 허기와 두통, 현기증과 어지럼증 등이 나타나는 것이에요. 응급조치를 취하지 않으면 발작 등을 발생시키는 심한 저혈당증으로 진행되기 때문에 빠른 응급조치가 이루어져야 해요. [A]

… (하략) …

김남진
KORSET 특수교육 기출분석 ❸

초판인쇄 | 2025. 4. 10.   **초판발행** | 2025. 4. 15.   **편저자** | 김남진
발행인 | 박 용   **발행처** | (주) 박문각출판   **등록** | 2015년 4월 29일 제2019-000137호
주소 | 06654 서울특별시 서초구 효령로 283 서경 B/D   **팩스** | (02) 584-2927
전화 | 교재 주문 (02) 6466-7202, 동영상 문의 (02) 6466-7201

저자와의
협의하에
인지생략

이 책의 무단 전재 또는 복제 행위는 저작권법 제136조에 의거, 5년 이하의 징역 또는 5,000만 원 이하의 벌금에 처하거나 이를 병과할 수 있습니다.

ISBN 979-11-7262-768-3 / ISBN 979-11-7262-767-6(세트)
정가 21,000원(분권 포함)